En avant
la grammaire!

Flavia Garcia

Cahier d'activités
de grammaire
en situation

D1533802

Catalogage avant publication de Bibliothèque et Archives Canada

Garcia, Flavia

En avant la grammaire ! : cahier d'activités de grammaire en situation. 2ᵉ éd.

(En avant la grammaire !) Pour les étudiants en français langue seconde, niveau intermédiaire.

ISBN 978-2-89144-414-9

1. Français (Langue) – Grammaire – Problèmes et exercices.   2. Français (Langue) – Manuels pour allophones.

I. Titre.

PC2128.G37 2007   448.2'4076   C2007-940196-1

L'Éditeur et l'auteure tiennent à remercier Pascale Chrétien, réviseure pédagogique en chef, ainsi que Diane Proulx et Yves Martineau, réviseurs pédagogiques.

Responsable éditoriale : Nathalie Savaria
Révision linguistique : Pierrette Tostivint
Correction d'épreuves : Christine Barozzi
Illustrations intérieures : Daniel Shelton
Conception de la page couverture et infographie : Interscript
Conception de la maquette intérieure : Philippe Langlois

Éditions Marcel Didier inc.
1815, avenue De Lorimier
Montréal (Québec)
H2K 3W6 Canada
Téléphone : 514 523-1523
Téléopieur : 514 523-9969
www.editionsmd.com

ISBN 978-2-89144-414-9

Dépôt légal – 3ᵉ trimestre 2007
Bibliothèque et Archives nationales du Québec
Bibliothèque et Archives Canada

2007 © Marcel Didier inc.

Diffusion-distribution au Canada : Distribution HMH
www.distributionhmh.com

Diffusion-distribution en France : Librairie du Québec à Paris / DNM
www.librairieduquebec.fr

Imprimé au Canada

Préface

Le seul titre de l'ouvrage de Flavia Garcia annonce à la fois une approche dynamique et une déclaration très claire de l'auteure en faveur d'un enseignement explicite de la grammaire française. Et c'est bien ce qu'on trouve, au fil des pages : une double présentation de mini-situations choisies délibérément pour mettre en œuvre tel ou tel mécanisme grammatical et, en parallèle, des exercices pour le systématiser.

La sélection des points traités, judicieusement effectuée en fonction du niveau des élèves visés (adultes de niveau intermédiaire), est répartie en dix chapitres dont l'ensemble traite d'autant de catégories reliées aux deux groupes de l'unité phrastique : pour le GV (le groupe verbal) sont retenus les modes impératif, conditionnel et subjonctif, la voix pronominale et les temps passé et futur ; pour le GN (le groupe nominal dans ses différentes fonctions syntaxiques par rapport au verbe), les adjectifs et les pronoms personnels. Une variété d'activités (une bonne centaine), parfois contraignantes, parfois ouvertes à l'imagination des locuteurs, et des tableaux grammaticaux récapitulatifs (une bonne cinquantaine), avec exercices, permettent de systématiser et de rappeler les phénomènes étudiés, en utilisant le métalangage nécessaire, mais sans en abuser. Les thèmes abordés, qui reflètent fidèlement la réalité montréalaise actuelle (sans toutefois s'y confiner), génèrent des modèles d'échanges langagiers appropriés et motivants — qui ne sont pas tous bien sûr des innovations et qu'on peut retrouver ailleurs. Mais ce manuel (qui a la forme d'un cahier d'exercices) tire surtout son originalité du fait qu'il ose mettre sur un pied d'égalité ses deux objectifs : développer la compétence grammaticale et développer la compétence de communication. Trop de manuels commercialisés dans les dernières décennies, escamotant la grammaire (dans leurs velléités de faire du communicatif), ont assez démontré que faire apprendre une langue sans passer par une quelconque réflexion sur son fonctionnement et sur ses règles d'usage pouvait mener à de piètres performances et même compromettre l'efficacité de la communication.

Il convient donc de louer Flavia Garcia, elle-même symbole d'une remarquable réussite dans l'acquisition d'une langue étrangère, d'avoir su mettre à profit son expérience à la fois d'apprenante et d'enseignante du FLS, pour nous offrir un manuel où la grammaire, loin d'être rébarbative et scolastique, se veut pratique, signifiante et rassurante.

Hubert Séguin
Professeur agrégé
Institut des langues secondes
Université d'Ottawa

Avant-propos

Destinés à l'enseignement du français langue seconde de niveau intermédiaire, aux jeunes et aux adultes, les exercices de *En avant la grammaire !* faciliteront avant tout la pratique de certaines particularités grammaticales dans des situations de communication proches de la réalité. Ainsi les étudiants trouveront-ils dans ce cahier l'outil idéal qui leur permettra d'apprendre à communiquer en français tant à l'oral qu'à l'écrit, en intégrant les formes correctes des énoncés.

Chaque sujet est présenté selon une double perspective : le fonctionnement syntaxique et morphologique d'un élément grammatical, et son utilisation concrète dans des contextes de communication variés, riches et signifiants. Les structures ou éléments grammaticaux ciblés dans les activités s'imbriquent parfaitement aux cadres de communication, entre autres grâce à des documents authentiques, à des mises en situation. Les chapitres comportent trois parties.

- Un tableau grammatical aidera les étudiants à avoir une vue d'ensemble d'une particularité grammaticale et de ses caractéristiques syntaxiques et morphologiques.

- À travers des activités et exercices de grammaire axés sur la communication, les étudiants pourront s'exercer, à l'oral ou à l'écrit, à certains aspects du fonctionnement grammatical du français. À la fin de plusieurs activités, des capsules grammaticales font le point sur les sujets abordés.

- Des tableaux d'entraînement présentent, hors contexte, les aspects du fonctionnement grammatical vus dans les activités et exercices, de façon à en faciliter la pratique sans avoir à répondre aux exigences de la communication. Les tableaux d'entraînement peuvent être utilisés en combinaison avec les activités grammaticales communicationnelles.

Comme *En avant la grammaire !* se veut un outil de communication, nous avons ajouté aux activités et exercices des exemples de différents registres de langue, rendant compte ainsi de la diversité des choix linguistiques possibles en français. De la sorte, des expressions appartenant au français familier, couramment utilisées à l'oral, côtoient des exemples de français soutenu, surtout présents dans le discours écrit.

Enfin, pour l'ordre de présentation des chapitres et des particularités grammaticales, nous avons évité la gradation allant du plus simple au plus complexe. Les exercices et activités de *En avant la grammaire !* se présentent plutôt comme une banque dont la gestion incombe soit aux étudiants soit aux enseignants, selon les besoins et les difficultés qu'ils éprouveront tout au long du parcours.

Ce livre est dédié à mes parents.

Flavia Garcia

Table des matières

1 L'impératif

TABLE DES MATIÈRES

Tableau grammatical

A. Forme

a) En général, les verbes à l'impératif, aux personnes suivantes, se conjuguent comme les verbes au présent de l'indicatif.

Présent	Impératif
tu bois	bois
nous allons	allons
vous prenez	prenez

b) À la deuxième personne du singulier, les verbes finissant par **ES** au présent de l'indicatif et le verbe *aller* perdent le **S** à l'impératif.

tu mang**ES**	mang**E**
tu offr**ES**	offr**E**
tu ouvr**ES**	ouvr**E**
tu vas	**va**

c) Pour les verbes *être*, *avoir*, *savoir* et *vouloir*, l'impératif prend la forme du subjonctif.

être	avoir	savoir	vouloir
sois	aie	sache	veuille
soyons	ayons	sachons	
soyez	ayez	sachez	veuillez

B. Impératif des verbes pronominaux

Pour les verbes pronominaux, la personne du verbe est la même que celle de son pronom.

Exemple :

Habille-toi vite !
2ᵉ personne du singulier
pour le verbe et son pronom

Offrez-vous des vacances cet hiver !
2ᵉ personne du pluriel
pour le verbe et son pronom

C. La place du pronom à l'impératif

Forme affirmative	Forme négative	Forme négative (français oral familier)
Parle-**moi**	Ne **me** parle pas	Parle-**moi** pas
Lève-**toi**	Ne **te** lève pas	Lève-**toi** pas
Parle-**lui**	Ne **lui** parle pas	Parle-**lui** pas
Invite-**le**	Ne **l'**invite pas	Invite-**le** pas
Prends-**la**	Ne **la** prends pas	Prends-**la** pas
Manges-**en**	N'**en** mange pas	Manges-**en** pas
Parle-**nous**	Ne **nous** parle pas	Parle-**nous** pas
Levez-**vous**	Ne **vous** levez pas	Levez-**vous** pas
Parlez-**leur**	Ne **leur** parlez pas	Parlez-**leur** pas
Écoutez-**les**	Ne **les** écoutez pas	Écoutez-**les** pas

Objectifs grammaticaux
L'impératif
La forme affirmative

Objectif de communication
Comprendre les informations
d'un mode d'emploi.

Modes d'emploi

A. Lisez les énoncés tirés de modes d'emploi de différents produits. Dites à quel produit correspondent les instructions suivantes. Comme dans l'exemple, trou-vez trois instructions pour chaque produit et mettez-les dans l'ordre approprié.

Exemple

1. Réglez la température de l'eau.
6. Remplissez la machine d'eau.
10. Ajoutez une mesure de savon.

_____

_____

_____

_____

_____

1. **Réglez la température de l'eau.**
2. Ajoutez un peu de sel.
3. Gardez dans un endroit réfrigéré.
4. Appliquez sur une peau propre et sèche.
5. Appliquez généreusement 15 à 30 minutes avant de vous exposer au soleil.
6. **Remplissez la machine d'eau.**
7. Incorporez le contenu de la boîte à un litre d'eau bouillante.
8. Faites bouillir un litre d'eau.
9. Protégez vos épaules à l'aide d'une vieille serviette.
10. **Ajoutez une mesure de savon.**
11. Rincez et séchez.
12. Composez votre NIP, puis appuyez sur le carré.
13. Pour écouter vos messages, appuyez sur le 1.
14. Mettez le levier de vitesses au neutre.
15. Gardez hors de la portée des enfants.
16. Appliquez Crystalcouleur et massez. Relaxez 30 minutes.
17. Prenez un comprimé par jour.
18. Composez votre code. Avancez.
19. Arrêtez le moteur.
20. Étendez de manière uniforme.
21. Pour effacer vos messages, appuyez sur le 2.

_____

_____

_____

_____

_____

_____

_____

_____

2

Objectifs grammaticaux
L'impératif
La forme affirmative
Les mots servant à décrire les étapes
d'une action : *d'abord, ensuite, après, puis,
enfin, finalement*, etc.

Objectifs de communication
Comprendre les étapes pour mener
à bien un projet.
Mettre en ordre les étapes d'un projet.

Le coin du bricoleur

A. Aujourd'hui, vous allez apprendre à décaper un meuble. Avant de commencer, préparez le matériel et les outils. Quels objets, quels outils utiliserez-vous ? Discutez-en avec un ou une camarade, puis écrivez vos réponses dans les filets ci-dessous.

décapant   papier journal   gants   pinceau   chiffon

lunettes protectrices   brosse métallique   grattoir   laine d'acier

masque protecteur   tablier   papier sablé   brosse à dents

Vos réponses...

_____

_____

_____

_____

B. Voici une série d'étapes à suivre. Attention ! Elles sont en désordre. Conjuguez d'abord les verbes entre parenthèses à l'impératif, comme dans l'exemple. Puis indiquez chacune de ces étapes à côté des illustrations correspondantes. Suivez l'exemple.

Exemple : **1.** (Retirer) **Retirez** les portes et accessoires du meuble.

2. (Appliquer) _____ les produits de finition.

3. (Déposer) _____ le meuble sur du papier journal.

4. (Masquer) _____ les zones à ne pas décaper.

5. (Gratter) _____ avec un grattoir pour enlever le décapant. *1*

6. (Appliquer) _____ le décapant avec le pinceau.

7. (Nettoyer) _____ à l'aide d'un chiffon la surface à décaper.

8. (Poncer) _____ le meuble.

9. (Enlever) _____ les résidus.

10. (Verser) _____ une petite quantité de décapant dans le contenant en plastique.

11. (Laisser) _____ agir.

12. (Utiliser) _____ une brosse à dents pour nettoyer les recoins.

C. Mettez en ordre les étapes à suivre présentées à l'exercice B. Utilisez les adverbes ci-dessous, comme dans l'exemple.

premièrement, pour commencer	ensuite, puis, après,	enfin, finalement, pour finir

Exemple : **1.** Premièrement, déposez le meuble sur du papier journal.

2. _____

3. _____

4. _____

5. _____

6. _____

7. _____

8. _____

9. _____

10. _____

11. _____

12. _____

Objectifs grammaticaux
L'impératif
Les formes affirmative et négative

Objectif de communication
Donner des conseils.

Conseils

A. En utilisant des verbes à l'impératif aux formes affirmative ou négative, donnez des conseils à un ami ou une amie d'après la situation. Les expressions de la colonne de droite guideront vos choix.

1. Malcolm va prendre l'avion pour la première fois.
Il se sent un peu inquiet et il a peur.
Donnez-lui quelques conseils, en suivant l'exemple :

Bois un whisky avant de monter à bord de l'avion.

2. Votre ami part en vacances dans un pays chaud.
Donnez-lui quelques conseils, en suivant l'exemple :

Apporte de la crème solaire.

3. Votre ami part en vacances dans le Grand Nord pendant l'hiver.
Donnez-lui quelques conseils, en suivant l'exemple :

N'oublie pas tes lunettes de soleil.

4. Votre ami part en vacances en montagne.
Il va faire du canot-camping.
Donnez-lui quelques conseils, en suivant l'exemple :

Prends soin de garder tes allumettes au sec.

ne pas surcharger le sac à dos

écouter de la musique classique

faire attention

être prudent

apporter une lampe de poche

apporter un coupe-vent et des raquettes

boire de l'eau

se détendre

apporter des vêtements légers et des vêtements chauds

ne pas marcher plus de 10 km par jour

ne pas regarder par le hublot

parler avec son compagnon de voyage

avoir une carte routière en poche

s'amuser

se reposer

aller à la plage

ne pas s'inquiéter

ne pas prendre de soleil entre 11 h et 15 h

faire du conditionnement physique avant de partir

apporter des tablettes de chocolat

apporter de la lotion antimoustiques

prendre un somnifère

ne pas oublier sa carte de crédit

ne pas apporter de choses inutiles

lire un livre intéressant

4

Bonne nuit !

A. Lisez la liste des choses à faire pour bien dormir. Puis complétez la colonne de droite à l'aide de verbes à l'impératif à la forme négative ou affirmative.

CHOSES À FAIRE POUR PASSER UNE BONNE NUIT

✓ Adoptez un horaire régulier.
Couchez-vous et réveillez-vous à la même heure chaque jour.

✓ Faites de l'exercice régulièrement
(le matin ou l'après-midi).

✓ Dotez-vous d'un lit confortable,
dans une chambre sombre et tranquille.

✓ Si vous avez faim avant de vous coucher, prenez une collation légère (ou un verre de lait).

✓ Accordez-vous des moments de détente avant d'aller au lit.

✓ Utilisez votre chambre à coucher... pour dormir ! Évitez d'y faire toute autre activité.

CHOSES À ÉVITER

1. _____ de boissons alcoolisées ni de médicaments comme sédatifs.

2. _____ d'exercice tard le soir.

3. _____ trop d'efforts pour vous endormir. _____ un livre ou _____ la télévision jusqu'à ce que vous vous endormiez.

4. _____ de sieste pendant la journée.

5. _____ de gros repas avant de vous coucher et _____ au milieu de la nuit.

6. _____ de tabac ou de boissons contenant de la caféine quelques heures avant de vous coucher.

B. Donnez des conseils à quelqu'un qui a de la difficulté à se réveiller le matin.

Choses à faire	Choses à éviter
_____	_____
_____	_____
_____	_____

Objectifs grammaticaux
L'impératif
Les formes affirmative et négative
Les mots servant à décrire les étapes
d'une action : *d'abord, ensuite, après, puis,
enfin, finalement,* etc.

Objectif de communication
Donner des conseils.

Des vacances en toute sécurité

A. Vous travaillez dans une agence de voyages. Récemment, il y a eu plusieurs agressions contre des touristes en vacances dans le Sud. En remettant les billets, vous donnez des conseils de sécurité à vos clients.

Voici la liste de ces conseils. Pour rendre vos suggestions plus convaincantes, utilisez des verbes à l'impératif.

CHOSES À FAIRE

1. Éviter les endroits dangereux où il y a peu de gens.
2. Toujours demeurer dans les foules.
3. Demeurer dans des endroits éclairés.
4. Verrouiller les portières de la voiture.
5. Marcher sans hésitation, comme si vous connaissiez l'endroit où vous êtes.
6. Faire attention aux simulations d'accidents.
7. En cas de confrontation avec des criminels, klaxonner et crier pour attirer l'attention.

CHOSES À ÉVITER

1. En cas d'accident, descendre de la voiture pour discuter avec l'autre automobiliste.
2. Montrer votre argent, vos bijoux, vos chèques de voyage.
3. Circuler dans une voiture dont la plaque d'immatriculation indique qu'il s'agit d'un véhicule en location.
4. Accorder rapidement votre confiance à des inconnus.
5. Vous promener seul dans un endroit isolé.
6. Descendre de la voiture si vous faites une crevaison.
7. Vous habiller avec ostentation.

B. D'autres clients vont en voyage d'aventure dans le désert. Donnez-leur des conseils en prévision d'un tel voyage.

> Exemple : Portez des vêtements légers.

Vêtements : _____

Nourriture : _____

Sommeil : _____

Conditionnement physique : _____

Équipement : _____

Objectifs grammaticaux
L'impératif
Les formes affirmative et négative
Les pronoms *l'*, *le*, *la*, *les*

Objectif de communication
Donner des directives.

« Un » chauffeur de taxi bien particulier

A. Regardez la bande dessinée, puis remplissez les bulles à l'aide de verbes conjugués à l'impératif. Jouez ensuite la scène en équipes de deux.

© Éditions Glénat – Quino

© 2007 Marcel Didier inc. — *Reproduction interdite*

B. Imaginez que les deux personnages de cette bande dessinée ont 20 ans.
Qu'est-ce que le chauffeur dit au client ? Utilisez des verbes à l'impératif à la deuxième personne du singulier.

1. _____

_____

2. _____

_____

3. _____

_____

4. _____

_____

5. _____

_____

C. Le client est maintenant assis dans le taxi.
Quelles directives donne-t-il au chauffeur ?

_____

_____

_____

_____

_____

_____

_____

_____

_____

_____

Objectifs grammaticaux
L'impératif
La forme affirmative

Objectif de communication
Expliquer un chemin à suivre.

Où est le Centre des sciences ?

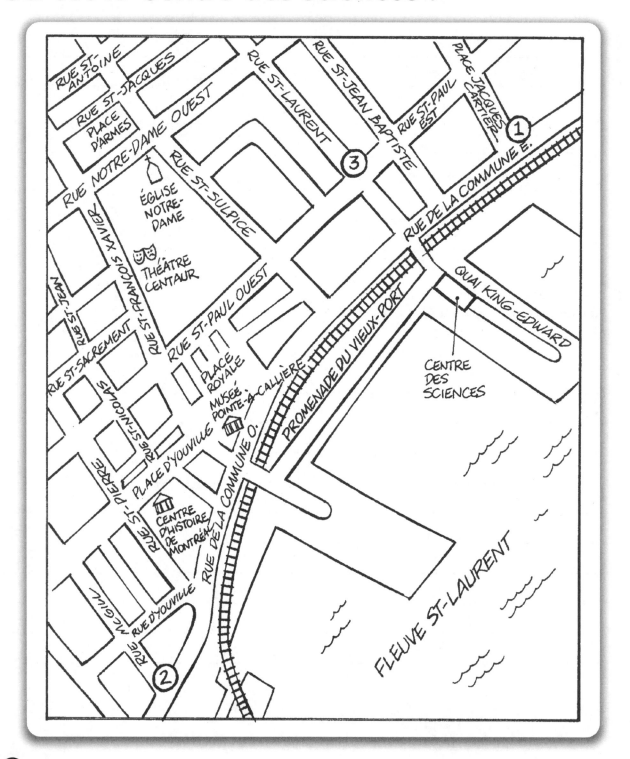

A. Regardez le plan de ce secteur du Vieux-Montréal. Des touristes en promenade cherchent le Centre des sciences. Un Montréalais en patins à roues alignées leur indique le chemin. Complétez les dialogues suivants à l'aide des verbes ci-dessous conjugués à l'impératif. Jouez-les ensuite avec un ou une partenaire.

> rester • prendre • venir • continuer • longer • traverser • aller • tourner

Dialogue 1

— Pardon, je cherche le Centre des sciences. Vous connaissez ?

— Oui, c'est pas loin. _____ cette rue, c'est la rue de la Commune. _____ tout droit, toujours rue de la Commune. Puis, à gauche, _____ la voie ferrée.

— C'est de l'autre côté de la voie ferrée ?

— Oui, c'est ça. _____ toujours sur la gauche. Le Centre des sciences se trouve sur le quai King Edward. C'est un édifice vitré. _____ avec moi, je vous accompagne.

— C'est gentil, merci.

Dialogue 2

— Pardon, monsieur. Vous êtes de Montréal ?

— Oui, en quoi puis-je vous aider ?

— Nous cherchons le Centre des sciences.

— Vous êtes un peu loin. _____ dans la rue de la Commune jusqu'au boulevard Saint-Laurent. C'est de l'autre côté de la voie ferrée et de la piste cyclable. _____ toujours le fleuve. _____ à droite au deuxième quai.

— Merci, vous êtes bien gentil.

— De rien. Bonne visite !

B. Composez le dialogue entre le jeune Montréalais en patins à roues alignées et un jeune touriste asiatique. Le patineur lui explique le chemin à l'aide de verbes conjugués à l'impératif.

Dialogue 3

— Pardon, monsieur, savez-vous où se trouve le Centre des sciences ?

— _____

— _____

— De rien, jamais deux sans trois !

C. Pourquoi le patineur dit-il : « Jamais deux sans trois » ? Choisissez la mauvaise réponse.

☐ Parce qu'il a posé le même geste trois fois.

☐ Parce que c'est la troisième fois qu'il va patiner dans le Vieux-Montréal.

☐ Parce qu'il a aidé trois personnes.

Visitez le site du Centre des sciences. Vous pourrez voir exactement où il est situé.

http://www.centredessciencesdemontreal.com/fr/infos/teleportez-vous/entree/entree.htm

L'impératif **21**

Tableau d'entraînement

L'impératif
La forme affirmative
L'auxiliaire modal *devoir* + infinitif

Tableau **1**

Complétez les séries à l'aide d'un verbe au présent (première colonne), à l'impératif (deuxième colonne) ou avec l'auxiliaire modal *devoir* + infinitif (troisième colonne), comme dans l'exemple.

Présent	Impératif	*Devoir* + infinitif
Exemple : *tu traverses*	*traverse*	*tu dois traverser*
1. vous allez		
2.	monte	
3.		tu dois regarder
4.	essayez	
5. tu descends		
6.		vous devez faire
7.	tournez	
8. tu prends		
9.		tu dois arrêter
10.		vous devez attendre
11.	va	
12. vous écoutez		
13.	cherche	
14.		tu dois venir
15. vous longez		
16.	prenez	
17.		vous devez suivre
18.	patientez	
19. tu avales		
20.	demande	

Tableau d'entraînement

Tableau **2**

Complétez le tableau à l'aide d'un verbe à l'impératif à la forme affirmative d'abord, puis à la forme négative, comme dans l'exemple.

Forme affirmative	Forme négative
Exemple : *Venez.*	*Ne venez pas.*
1. Fais ce travail.	
2.	Ne bois pas.
3. Ajoute les dernières corrections.	
4.	Ne parlez pas.
5. Donne ton opinion.	
6.	Ne prends pas la voiture.
7. Achète cette toile.	
8.	N'arrivez pas avant 10 heures.
9. Essayez cette robe.	
10.	N'écoute pas.
11.	N'intervenez pas.
12. Assistez à la réunion.	
13.	Ne posez pas cette question.
14. Lis cette information.	
15. Fermez cette porte !	
16. Commandez le dernier numéro de *Marie-Claire*.	
17.	Ne restez pas ici.
18.	Ne réagissez pas.
19. Monte le volume.	
20. Descends la poubelle maintenant.	

L'impératif
Les formes affirmative et négative
Les pronoms *l'*, *le*, *la*, *les*, *lui*, *moi*, *vous*
Les registres du français oral familier

Tableau d'entraînement

Tableau 3

Complétez le tableau à l'aide d'un verbe à l'impératif à la forme affirmative d'abord, puis à la forme négative du français oral familier, comme dans l'exemple.

Forme affirmative	Forme négative Registre du français oral familier	Forme négative Registre du français standard
Exemple : *Fais-le.*	*Fais-le pas.*	*Ne le fais pas.*
1. Écoute-moi.		
2.	Dis-le pas.	
3. Ajoutez-le.		
4.		Ne vous assoyez pas.
5.		Ne les écrivez pas.
6.	Demande-moi pas.	
7. Attendez-moi.		
8. Arrête-le.		
9.	Laissez-le pas.	
10. Quitte-la.		
11.		Ne lui explique pas.
12.	Lâchez-les pas.	
13. Taquine-moi.		
14.	Regardez-moi pas.	
15. Vends-la.		
16.	Fais-moi pas ça.	
17.		Ne me dépose pas là.
18. Téléphone-lui.		
19.		Ne les achetez pas.
20.	Parle-lui pas.	

Tableau d'entraînement

Tableau 4

Associez un élément de la colonne de gauche à un élément de la colonne de droite. Écrivez dans la colonne du centre le message ainsi obtenu. Vous pouvez utiliser le même élément plus d'une fois.

Exemple :	*Attendez*	*Attendez ici.*
1.	Suivez	
2.	Écoutez	
3.	Apporte	
4.	Louez	
5.	Fais	
6.	Achète	
7.	Ajoute	
8.	Laissez	
9.	Lis	
10.	Assoyez-vous	
11.	Note	
12.	Arrête	
13.	Respectez	
14.	Ferme	
15.	Adresse-toi	
16.	Vends	
17.	Renseigne-toi	
18.	Range	
19.	Dépose tes enfants	
20.	Dors	

dans ce quartier

un peu de sel

avant le départ

le guide

bien

les informations

ici

au préposé

la porte

les consignes

à l'école

là

la vaisselle

ton auto

au bout de la rue

ta chambre

le paquet sur le bureau

ton dîner

le journal

son numéro

la maison

L'impératif
La forme affirmative
Les différents compléments

Tableau d'entraînement

Tableau **5**

Attribuez à chaque verbe deux éléments qui servent de compléments. Choisissez-les dans la colonne de droite, comme dans l'exemple.

Exemple :	*Répondez rapidement.*	*Répondez ce que vous voulez.*
1.	Conduisez _____ .	Conduisez _____ .
2.	Sois _____ .	Sois _____ .
3.	Attendez _____ .	Attendez _____ .
4.	Faites _____ .	Faites _____ .
5.	Ajoute _____ .	Ajoute _____ .
6.	Achetez _____ .	Achetez _____ .
7.	Ayez _____ .	Ayez _____ .
8.	Tournez _____ .	Tournez _____ .
9.	Sors _____ .	Sors _____ .
10.	Prenez _____ .	Prenez _____ .
11.	Entre _____ .	Entre _____ .
12.	Venez _____ .	Venez _____ .
13.	Jouez _____ .	Jouez _____ .
14.	Allumez _____ .	Allumez _____ .
15.	Décorez _____ .	Décorez _____ .
16.	Préparez _____ .	Préparez _____ .
17.	Prévois _____ .	Prévois _____ .
18.	Continuez _____ .	Continuez _____ .
19.	Mange _____ .	Mange _____ .
20.	Ouvre _____ .	Ouvre _____ .

à gauche
de l'eau
des fruits
de là
ici
le cadeau
le temps
rapidement
-vous
cet appartement
de la guitare
ce que vous voulez
le salon
sérieux, sérieuse
le repas
prudemment
confiance
tout droit
-moi
la vaisselle
une lampe de poche
lentement
avec moi
gentil, gentille
des vêtements chauds
tout de suite
du courage
les bagages
du sel
la lumière
moins fort

L'impératif
La forme affirmative
Les différents compléments

Tableau d'entraînement

Tableau 6

Trouvez deux verbes à l'impératif pour chaque complément de la colonne de droite.
Suivez l'exemple.

Exemple :	a) Appelle le matin.	b) Pars le matin.	le matin
1.	a) _____	b) _____	le chocolat
2.	a) _____	b) _____	une histoire
3.	a) _____	b) _____	ma voisine
4.	a) _____	b) _____	à 15 heures
5.	a) _____	b) _____	immédiatement
6.	a) _____	b) _____	près d'ici
7.	a) _____	b) _____	cet après-midi
8.	a) _____	b) _____	10 dollars
9.	a) _____	b) _____	la tasse de thé
10.	a) _____	b) _____	le plus tôt possible
11.	a) _____	b) _____	l'enveloppe
12.	a) _____	b) _____	celui-là
13.	a) _____	b) _____	les plantes
14.	a) _____	b) _____	avec Nicole
15.	a) _____	b) _____	à l'heure
16.	a) _____	b) _____	là
17.	a) _____	b) _____	debout
18.	a) _____	b) _____	les feuilles
19.	a) _____	b) _____	l'autobus
20.	a) _____	b) _____	dans une heure

Tableau d'entraînement

L'impératif
La forme affirmative
Les différentes terminaisons

Tableau **7**

Classez les verbes ci-dessous en autant de groupes possibles. Pour les classer, vous pouvez choisir des critères tels que la terminaison, la conjugaison, la personne ou la prononciation.

répondez	dites	allez	faites	dis	ajoute
attendez	fais	mange	étudie	venez	prends
distribue	sors	tournez	tiens	travaille	entre
copie	prenez	servez	traversez	vendez	joue
pars	arrête	imagine	lisez	éteins	videz
conduisez	peins	regarde	achetez	dors	traduisez
défendez	écris	viens	écoute	sois	ayez
écrivez	loue	soyez	allumez	chante	sortez

_____

_____

_____

_____

_____

_____

_____

_____

_____

_____

_____

_____

_____

_____

_____

_____

_____

L'impératif
La 2ᵉ personne du singulier et du pluriel
La forme affirmative
Les pronoms personnels compléments
l', le, la, les

Tableau d'entraînement

Tableau **8**

Trouvez, dans la colonne de droite, la réponse à la situation présentée dans la colonne de gauche. Puis, dans la colonne de gauche, conjuguez le verbe à l'impératif comme dans l'exemple.

Exemple :

1. *Bonjour, j'ai un problème avec le moteur de ma voiture. Est-ce que vous pourriez regarder ça assez vite ?*
Réponse : H

A. (donner) _____-moi votre ancienne adresse, s'il vous plaît. Merci. Et maintenant, quelle est votre nouvelle adresse ?

2. Nous pouvons passer chez vous vers 11 heures pour laisser le paquet.
Réponse : _____

B. (débrancher) _____-le avant d'y toucher.

3. Ce soir, je n'arriverai pas avant 19 heures. Où est-ce que je peux te laisser la clé ?
Réponse : _____

C. Mais non, ce n'est pas nécessaire. (s'abonner) _____-toi à l'antivirus Tooclean. Ça fait des merveilles.

4. Je fais quoi après le souper ? Je joue avec elle ?
Réponse : _____

D. (Appeler)_____ Nicolas, C'est un pro des ordinateurs. Il a réparé le mien qui était en panne.

5. Bonjour, j'appelle pour faire un changement d'adresse.
Réponse : _____

E. (déposer) _____ -la chez ma voisine. Elle sera là.

6. J'ai un ennui, mon grille-pain ne fonctionne plus.
Réponse : _____

F. Je ne serai pas là. (laisser) _____-le entre les deux portes.

7. Je dois changer d'ordi. Il attrape tout le temps des virus.
Réponse : _____

G. (coucher) _____ -la et (raconter) _____ -lui une histoire. Ça devrait aller.

8. J'ai encore un problème d'ordinateur. Il plante quand je l'allume.
Réponse : _____

H. (apporter) *Apportez*-la durant l'avant-midi.

Tableau d'entraînement

L'impératif
La 2e personne du pluriel
La forme affirmative

Tableau 9

Complétez les annonces publicitaires suivantes à l'aide des verbes de la colonne de droite conjugués à l'impératif.

Exemple :	*Voyagez cet hiver avec Via Rail. <u>Achetez</u> votre billet avant le 5 avril pour ne pas manquer la prime spéciale.*

1. Si vous voulez louer votre logement, _____ une annonce dans *La Presse*. Vous aurez ainsi accès, chaque semaine, à 919 400 lecteurs.

2. _____ ce coupon de participation et _____-le dans une des boîtes à Expo-nautique ou _____ -le au journal *Voir* avant le 15 mai.

3. _____ de la tempête d'aubaines d'Expédia.com.

4. _____ une nouvelle recherche sur Google.

5. _____ le samedi matin à la Baie. Encore plus de rabais, encore plus de choix.

6. _____ le plus beau voilier construit sur place avec moins de 1 000 $ de matériaux. _____ les mille et un secrets d'un pêcheur professionnel.

7. _____ membre du club de recettes de Marie-Sophie et _____ gratuitement six recettes express.

8. _____ en direct le blogue[1] de cuisine de Cécile et _____ ses trucs en écoutant les *podcasts*[2] sur son site.

9. Dodo, boulot, Communauto. _____ cette formule pour tous vos déplacements de fin de semaine.

Acheter

Apprendre

Consulter

Découvrir

Déposer

Devenir

Envoyer

Essayer

Faire

Magasiner

Mettre

Profiter

Recevoir

Remplir

Visiter

Voyager

1. Site Internet personnel.
2. Fichiers audio ou vidéo sur Internet.

2 L'adjectif

TABLE DES MATIÈRES

Tableau grammatical

- Variation en genre selon le genre du nom qualifié
- Groupes d'adjectifs et changement de genre

1. Forme identique au masculin et au féminin

agréable
aimable
autonome
bête
calme
célèbre
drôle
facile
fiable
fidèle
honnête
jaune
jeune
magnifique
maigre
mauve
mince
moderne
négociable
orange
propre
rouge
sale
sécuritaire
sincère
sociable
stable
superbe
tranquille

2. –IF –EUF

–IF –EUF	–VE –EUVE
actif	active
agressif	agressive
craintif	craintive
créatif	créative
maladif	maladive
neuf	neuve
sportif	sportive
veuf	veuve

3. –EUX –EUR

–EUX –EUR	–EUSE –EUSE
affectueux	affectueuse
ambitieux	ambitieuse
généreux	généreuse
lumineux	lumineuse
luxueux	luxueuse
menteur	menteuse
paresseux	paresseuse
prétentieux	prétentieuse
sérieux	sérieuse
spacieux	spacieuse
talentueux	talentueuse
tricheur	tricheuse

4. –TEUR

–TEUR	–TRICE
accusateur	accusatrice
créateur	créatrice
directeur	directrice

5. –EUR

–EUR	–EURE
antérieur	antérieure
extérieur	extérieure
inférieur	inférieure
intérieur	intérieure
majeur	majeure
meilleur	meilleure
supérieur	supérieure

6. –EL –IL

–EL –IL	–ELLE –ILLE
essentiel	essentielle
gentil	gentille
occasionnel	occasionnelle
partiel	partielle
ponctuel	ponctuelle
résidentiel	résidentielle
sensuel	sensuelle
superficiel	superficielle
usuel	usuelle

7. a) –IEN

–IEN	–IENNE
aérien	aérienne
ancien	ancienne
canadien	canadienne
quotidien	quotidienne

7. b) –ON

–ON	–ONNE
bon	bonne
mignon	mignonne

8. –I –É

–I –É	–IE –ÉE
joli	jolie
poli	polie
déterminé	déterminée
ensoleillé	ensoleillée
équilibré	équilibrée
raffiné	raffinée
rénové	rénovée

9. –IER –ER / –IÈRE –ÈRE

–IER –ER	–IÈRE –ÈRE
aventurier	aventurière
dépensier	dépensière
dernier	dernière
entier	entière
étranger	étrangère
familier	familière
fier	fière
grossier	grossière
léger	légère
passager	passagère
policier	policière
premier	première

10. –ET / –ÈTE –ETTE

–ET	–ÈTE –ETTE
complet	complète
coquet	coquette
discret	discrète
inquiet	inquiète
muet	muette
net	nette
rondelet	rondelette
secret	secrète

11. –C / –CHE

–C	–CHE
blanc	blanche
franc	franche
sec	sèche

12. d

Consonne finale	Consonne finale + E
bavard	bavarde
chaud	chaude
froid	froide
grand	grande
laid	laide

T

arrogant	arrogante
bruyant	bruyante
court	courte
délicat	délicate
élégant	élégante
gratuit	gratuite
ignorant	ignorante
petit	petite
prêt	prête
vert	verte

S

confus	confuse
gris	grise
mauvais	mauvaise
polonais	polonaise
portugais	portugaise

L

banal	banale
brutal	brutale
général	générale
génial	géniale
légal	légale
loyal	loyale
normal	normale

N

africain	africaine
aucun	aucune
certain	certaine
féminin	féminine
fin	fine
hautain	hautaine
humain	humaine
opportun	opportune
serein	sereine
urbain	urbaine

R

clair	claire
dur	dure
noir	noire
sûr	sûre

13. Cas particuliers

bas	basse
gras	grasse
gros	grosse
long	longue
doux	douce
frais	fraîche
grec	grecque
turc	turque
faux	fausse
jaloux	jalouse
roux	rousse

14.

a)

beau (bel)	beaux
belle	belles

b)

nouveau (nouvel)	nouveaux
nouvelle	nouvelles

c)

vieux (vieil)	vieux
vieille	vieilles

d)

fou (fol)	fous
folle	folles

e)

mou (mol)	mous
molle	molles

A. Description d'une personne

1. Traits physiques

beau	Cheveux	Yeux
grand	blancs	bleus
gros	blonds	bruns
jeune	châtains	gris
joli	courts	noirs
laid	frisés	verts
maigre	gris	
mince	longs	
petit	noirs	
vieux	raides	
	roux	

2. Traits de personnalité

Positifs	Négatifs
affectueux	avare
aimable	hypocrite
attentionné	ignorant
autonome	impoli
brillant	imprudent
chaleureux	indiscipliné
courageux	indiscret
cultivé	instable
déterminé	manipulateur
discipliné	méchant
discret	méfiant
dynamique	menteur
fiable	paresseux
fidèle	prétentieux
gentil	superficiel
honnête	tricheur
loyal	
plaisant	
persévérant	
poli	
sincère	
sympathique	
tenace	
tolérant	

B. Description d'un objet

Aliment
acide, amer, appétissant, bon, cru, cuit, délicieux, épicé, exotique, exquis, juteux, mauvais, piquant, sec, succulent, sucré

Animal
affectueux, agressif, beau, doux, docile, gentil, indépendant, poilu

Lit
douillet, doux, ferme, grand, moelleux, petit

Maison
accueillante, confortable, froide, ensoleillée, grande, haute, isolée, luxueuse, minuscule, moderne, petite, propre, rénovée, sale, sombre, spacieuse

Quartier
calme, central, cossu, dangereux, défavorisé, huppé, paisible, résidentiel, tranquille

Moyen de transport
cher, dangereux, économique, efficace, lent, pratique, rapide, sécuritaire

Vêtement
ajusté, ample, chaud, chic, confortable, court, déchiré, élégant, grand, habillé, léger, long, petit, propre, sale, serré, seyant, sobre, sportif, troué, usé, voyant

Ville
amusante, ancienne, animée, belle, calme, colorée, dangereuse, ennuyante, exotique, immense, laide, magnifique, moderne, paisible, polluée, propre, romantique, sale, sécuritaire, tranquille, trépidante, vieille, violente, vivante

Voiture
accidentée, classique, confortable, économique, fiable, grande, neuve, performante, petite, sécuritaire, spacieuse, usagée, vieille

Situation
C'est... agréable, amusant, beau, bête, « chouette », curieux, dangereux, désagréable, désolant, dommage, drôle, effrayant, ennuyant, épuisant, étonnant, exigeant, fatigant, formidable, fort, fou, grave, horrible, inacceptable, inhumain, intéressant, long, malheureux, renversant, spécial, stupide, superbe, surprenant, triste

Objectifs grammaticaux	Objectifs de communication
Les adjectifs	Décrire un appartement.
Le nom	Décrire une maison.

Nouveau logis

A. Regardez les logis ci-dessous. Dites lequel convient à chaque ménage et pourquoi. En équipes, décrivez chaque appartement de façon détaillée à l'aide des adjectifs proposés dans l'encadré au bas de la page.

> **Les ménages :**
> - une vieille dame qui vit seule avec son caniche
> - une famille de quatre : la mère, le père, deux jeunes enfants
> - un étudiant universitaire
> - un couple dans la quarantaine, professionnels, sans enfants

a

3 1/2, chauffé, 500 $ / mois
Tranquille, près services, tout inclus. Électroménager. Libre immédiatement.
(514) 555-3555

b

5 1/2, chauffé, 850 $ / mois
Rez-de-chaussée, 3 chambres, cour arrière, atelier au sous-sol. Près marché, écoles, aréna.
(514) 555-9999

c

3 1/2, non chauffé, 650 $ / mois
Prestigieuse copropriété. Ascenseur. Air conditionné. Bord de l'eau. Neuf. Semi-meublé. Secteur paisible.
(514) 555-1188

d

4 1/2, non chauffé, 800 $ / mois
Balcon, foyer, plancher bois franc, entrée laveuse/sécheuse. Un bijou. À voir !
(514) 555-7766, pas d'animaux.

bruyant / bruyante	équipé / équipée	luxueux / luxueuse	résidentiel / résidentielle
calme	frais peint / frais peinte	moderne	sale
chauffé / chauffée	grand / grande	neuf / neuve	sécuritaire
cher / chère	insonorisé / insonorisée	petit / petite	spacieux / spacieuse
dangereux / dangereuse	intérieur / intérieure	propre	tranquille
ensoleillé / ensoleillée	lumineux / lumineuse	rénové / rénovée	vieux / vieille

B. Écrivez un courriel à une amie pour lui annoncer que vous venez d'acheter une maison. Dans la lettre, décrivez votre maison de façon détaillée, à l'aide des renseignements de la colonne de droite.

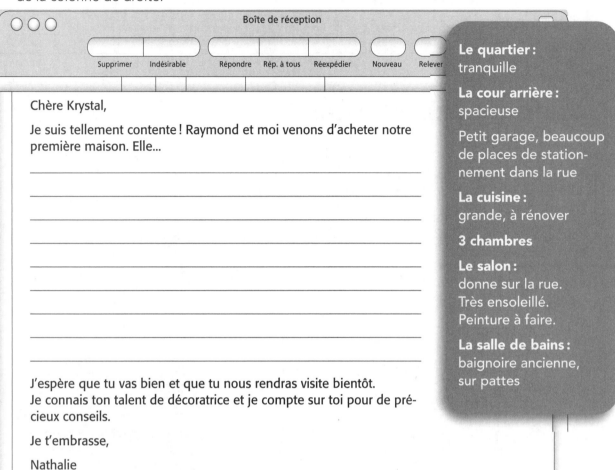

Boîte de réception

Supprimer | Indésirable | Répondre | Rép. à tous | Réexpédier | Nouveau | Relever

Chère Krystal,

Je suis tellement contente ! Raymond et moi venons d'acheter notre première maison. Elle...

_____

_____

_____

_____

_____

_____

_____

_____

J'espère que tu vas bien et que tu nous rendras visite bientôt. Je connais ton talent de décoratrice et je compte sur toi pour de précieux conseils.

Je t'embrasse,

Nathalie

Le quartier :
tranquille

La cour arrière :
spacieuse

Petit garage, beaucoup de places de stationnement dans la rue

La cuisine :
grande, à rénover

3 chambres

Le salon :
donne sur la rue. Très ensoleillé. Peinture à faire.

La salle de bains :
baignoire ancienne, sur pattes

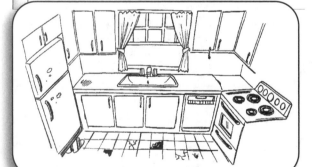

Objectifs grammaticaux

Les adjectifs : *nouveau, nouvelle, nouvel, vieux, vieil, vieille, beau, belle, neuf, neuve*
Le nom

Objectif de communication

Décrire une maison.

Projets de rénovation

A. Voici un projet de rénovation d'une maison. En équipes, décrivez chacune des pièces avant et après la rénovation. Utilisez, entre autres, les adjectifs, les verbes et les mots de vocabulaire que vous trouverez au bas de la page 39.

Avant   Après

1. LA FAÇADE DE LA MAISON

2. LA CUISINE

Avant   Après

3. LA CHAMBRE

4. LA SALLE DE BAIN

Verbes	Adjectifs	Vocabulaire
acheter	beau	baignoire
changer	bel	cuisinière
enlever	brisé	fenêtre
installer	collant	plafond
jeter	décollé	plancher
mettre	défectueux	pomme de douche
peinturer	endommagé	réfrigérateur
recoller	graisseux	rideaux
remplacer	laid	robinet
réparer	lamentable	carrelage
	neuf	
	nouveau	
	sale	
	vieux	
	vieil	

3

Objectifs grammaticaux
Les adjectifs
Le genre

Objectif de communication
Décrire une personne par ses traits
de caractère.

Définitions

A. En équipes, trouvez un adjectif qui correspond à la description, comme dans l'exemple.

Exemple :	*Une femme qui se prend pour quelqu'un d'autre est...*	*prétentieuse*
1.	Une femme qui fait des crises de nerfs est...	
2.	Un homme qui se fâche promptement est...	
3.	Un homme qui ne salue pas les autres est...	
4.	Une femme qui se lève de table avant tout le monde est...	
5.	Un homme qui n'a pas de chance est...	
6.	Une femme qui triche est...	
7.	Un homme qui ment est...	
8.	Une femme qui veut toujours avoir plus est...	
9.	Un homme qui ne laisse jamais les choses à leur place est...	
10.	Une femme qui n'oublie pas facilement les mauvais coups que les autres lui font est...	
11.	Une personne qui aime passer du temps toute seule est...	
12.	Une personne qui ne fait pas confiance aux autres est...	
13.	Une personne qui n'a pas beaucoup d'expérience est...	
14.	Une personne qui ne dépend pas des autres est...	
15.	Un homme qui ne respecte pas les vœux du mariage est...	
16.	Un bébé qui pleure tout le temps est...	
17.	Un patron qui exige beaucoup de ses employés est...	
18.	Un jeune homme qui fait des blagues continuellement est...	
19.	Un homme qui n'aime pas travailler est...	
20.	Un patron qui encourage ses employés est…	

© 2007 Marcel Didier inc. — Reproduction interdite

4

Objectifs grammaticaux
Les adjectifs
Le nom

Objectif de communication
Décrire un candidat ou une candidate
à un poste.

Carrières et professions

A. Complétez les offres d'emploi suivantes à l'aide des adjectifs proposés dans l'encadré.

1. Directeur administratif adjoint

Un important distributeur
de vidéocassettes
et d'accessoires vidéo
est à la recherche d'un directeur
_____.

XYZ VIDÉO offre

- Un milieu de travail _____.
- Un régime d'avantages _____
  attrayant.
- Un parti pris pour un service à la clientèle
  de la plus _____ qualité.
- Une gestion _____ sur la valeur
  des ressources _____.

adjoint
axée
bilingue
bonne
concurrentielle
dynamique
haute
humaines
importante
indéniables
intéressées
international
minimale
naturelle
priées
principaux
sociaux
stimulant

2. Conseiller ou conseillère en location d'automobiles à long terme

Une _____ compagnie de location à long terme est à la recherche
d'un conseiller ou d'une conseillère avec expérience pour son bureau de Laval.

Vous êtes une personne _____, _____,
aimant travailler en équipe.

Votre enthousiasme et votre aptitude _____ pour la vente
sont vos _____ atouts.

**Veuillez envoyer votre CV et votre lettre de motivation, en toute confidentialité, à l'attention de Madeleine Roy au :
2999, boulevard du Rond-Point, Brossard (Québec) J4W 2X7.**

3. Représentant ou représentante aux ventes

Notre entreprise, l'un des chefs de file

dans le domaine du courtage en douane

et du transport _____,

désire s'adjoindre les services d'un représentant

ou d'une représentante.

Vous possédez une expérience _____

de trois années dans la vente de services et avez acquis

une _____ connaissance du domaine

du courtage en douane et / ou du transport international.

Vous visez des résultats, avez l'esprit d'équipe et démontrez

d'_____ aptitudes en communication.

Nous offrons une rémunération _____.

Les personnes _____

sont _____ de faire parvenir

leur curriculum vitae à :

ACME, Agents en douane limitée
1000, rue des Saisies
Lacolle (Québec)
J2Y 1A5

Conseils pratiques pour rédiger son CV

1. Soyez concis. Écrivez l'essentiel.

2. Utilisez un style uniforme.

3. Parlez de vos réalisations.

4. Mentionnez toutes vos expériences reliées au poste convoité
   (y compris le travail bénévole).

5. Faites relire votre CV afin d'en corriger les fautes d'orthographe.

6. Utilisez une bonne qualité de papier.

7. Joignez au CV une lettre d'introduction adressée à une personne précise.

Objectifs grammaticaux
Les adjectifs
Le genre et le nombre

Objectif de communication
Décrire un candidat ou une candidate, un poste, une entreprise.

Le marché du travail

A. Remplissez le plus de cases possible dans les tableaux suivants en choisissant des adjectifs dans la liste ci-dessous.

avantageux, avantageuse, avantageuses
brillant, brillante, brillants, brillantes
canadien, canadienne, canadiens, canadiennes
chevronné, chevronnée, chevronnés, chevronnées
compétent, compétente, compétents, compétentes
compétitif, compétitive, compétitifs, compétitives
confus, confuse, confuses
constant, constante, constants, constantes
créatif, créative, créatifs, créatives
débrouillard, débrouillarde, débrouillards, débrouillardes
éclairé, éclairée, éclairés, éclairées
excellent, excellente, excellents, excellentes
exceptionnel, exceptionnelle, exceptionnels, exceptionnelles
exigeant, exigeante, exigeants, exigeantes
expérimenté, expérimentés, expérimentées
généreux, généreuse, généreuses
humain, humaine, humains, humaines

intéressant, intéressante, intéressants, intéressantes
international, internationale, internationaux, internationales
inventif, inventive, inventifs, inventives
libéral, libérale, libéraux, libérales
local, locale, locaux, locales
majeur, majeure, majeurs, majeures
motivé, motivée, motivés, motivées
pertinent, pertinente, pertinents, pertinentes
polyvalent, polyvalente, polyvalents, polyvalentes
précis, précise, précises
prometteur, prometteuse, prometteurs, prometteuses
qualitatif, qualitative, qualitatifs, qualitatives
québécois, québécoise, québécoises
reconnu, reconnus, reconnues
requis, requise, requises
soutenu, soutenue, soutenus, soutenues
transparent, transparente, transparents, transparentes

Féminin singulier

	–ive	–euse	–de / –ne / –re –se / –te	voyelle finale + e	–le
1. une expérience					
2. une secrétaire				expérimentée	
3. une firme					
4. une candidate		talentueuse			
5. une carrière					
6. une formation					

Masculin singulier

	–if	–eur / –eux	–d / –n / –r –s / –t	voyelle finale + e	–l
1. un projet	_____	_____	_____	_____	_____
2. un investissement	_____	_____	_____	_____	_____
3. un emploi	_____	_____	_____	_____	_____
4. un directeur	_____	_____	_____	_____	_____
5. un marché	_____	prometteur	_____	_____	_____
6. un cadre de travail	_____	_____	_____	_____	_____

Féminin pluriel

	–ives	–euses	–des / –nes / –res –ses / –tes	voyelle finale + es	–les
1. des recherches	_____	prometteuses	_____	_____	_____
2. des ressources	_____	_____	_____	_____	_____
3. des entreprises	_____	_____	_____	_____	_____
4. des professions	_____	_____	_____	_____	_____
5. des décisions	_____	_____	_____	_____	_____
6. des innovations	_____	_____	_____	_____	_____

Masculin pluriel

	–ifs	–eurs / –eux	–ds / –ns / –rs –s / –ts	voyelle finale + s	–aux
1. des services	_____	avantageux	_____	_____	_____
2. des prix	_____	_____	_____	_____	_____
3. des défis	_____	_____	_____	_____	_____
4. des employeurs	_____	_____	_____	_____	_____
5. des produits	_____	_____	_____	_____	_____
6. des efforts	_____	_____	_____	_____	_____

6

Objectifs grammaticaux	Objectif de communication
Les adjectifs	Décrire un candidat ou une candidate
Le genre	à un poste.

Chasseur de têtes

A. Vous travaillez au bureau des ressources humaines d'une compagnie qui a besoin de recruter 300 nouveaux employés. Vous mettez au point un questionnaire de personnalité à l'intention des nouveaux candidats. À partir des noms de la colonne de gauche, formulez des questions avec un adjectif. Procédez comme dans l'exemple.

Exemple : **motivation** Êtes-vous **motivé** ? OU Êtes-vous une personne **motivée** ?

1. Fiabilité _____
2. Ambition _____
3. Organisation _____
4. Flexibilité _____
5. Autonomie _____
6. Dynamisme _____
7. Confiance _____
8. Expérience _____
9. Ouverture _____
10. Disponibilité _____
11. Tolérance _____

B. En vous inspirant de la série de qualités ci-dessous, rédigez le profil du candidat idéal ou de la candidate idéale pour un poste dans la vente d'automobiles.

discipline • fiabilité • sociabilité • **expérience** • ouverture d'esprit • motivation • efficacité • pouvoir de persuasion • sérieux • agressivité

Exemple : Notre firme recherche quelqu'un d'**expérimenté** dans la vente...

_____
_____
_____
_____
_____

Objectifs grammaticaux
Les adjectifs
Le genre et le nombre

Objectif de communication
Décrire un lieu.

Régions du Québec

A. Comme dans l'exemple, encerclez l'adjectif approprié.

Québec > **Patrimoine mondial**

Exemple : Seule ville (**fortifiée**) / **fortifiés** / **fortifié** en Amérique du Nord,

... Québec se dresse sur un promontoire **massif / massive / massifs** qui domine les eaux
majestueux / majestueuse / majestueuses du fleuve Saint-Laurent.
Romantique / romantiques et **attachant / attachants / attachante**, la capitale dégage
un charme **particulier / particulières / particulière** qui séduit les visiteurs.
Avec ses **nombreuses / nombreuse / nombreux** parcs, le berceau de la Nouvelle-France
arbore fièrement ses bâtiments **ancestrales / ancestraux / ancestral** qui témoignent
de ses origines **français / française / françaises** et **anglais / anglaises / anglaise**.
Ce décor **splendide / splendides** qui s'ouvre sur des panoramas
saisissantes / saisissants / saisissant invite à la découverte.
Mais loin d'être figée derrière ses remparts, la ville de Québec est aussi
un centre **économique / économiques** et **administrative / administratifs / administratif**
tourné vers l'avenir.

*Textes tirés et adaptés d'une brochure du ministère du Tourisme du Québec.

B. Remplissez les blancs à l'aide des adjectifs proposés dans les encadrés correspondants.

Îles-de-la-Madeleine > Retrouvez le paradis perdu

rouges
capricieuse
total
bleues
inhabité
multicolores
verts
accessible
québécoises
isolé

Au large des côtes _____ flotte l'archipel _____, sculpté par une nature _____. Reliées par des langues de sable, les Îles-de-la-Madeleine sont faites de falaises _____, de lagunes _____, de _____ vallons et de maisons _____. Moins de 15 000 habitants vivent sur sept des îles, le reste étant _____. Facilement _____ par avion ou par traversier, ce lieu propose un dépaysement _____.

Gatineau > L'est de la rivière des Outaouais

magnifique
superbe
sauvages
agricole
ancienne
aménagés

Quand vous aurez quitté les secteurs _____ à l'est de Gatineau, vous vous trouverez au cœur d'une _____ région _____ offrant une vue _____ sur la rivière des Outaouais. La route 148 suit le cours de l'_____ route qu'empruntaient les voitures en provenance de Montréal au XIXe siècle. De nos jours, les marais qui longent la rivière font partie d'un projet de protection des canards _____.

Le Québec > Aventure en grande nature

organisé
récréative
exceptionnels
naturel
fauniques
balisées
plein

Le Québec possède une excellente infrastructure _____ : des parcs d'État et des réserves _____, axés sur la protection de l'environnement, ainsi que des bases de _____ air où se pratiquent des activités pour tous les goûts, dans un cadre _____ et dans le respect du milieu _____. Les parcs offrent des sites _____ et des pistes de randonnée _____.

Objectifs grammaticaux
Les adjectifs
Le genre
Les adverbes

Objectif de communication
Décrire des traits de caractère.

Test de personnalité

A. Voici un test de personnalité. Dites quel trait de caractère correspond à chaque affirmation. Choisissez parmi les adjectifs ci-dessous et écrivez-les dans la colonne de droite, comme dans l'exemple.

> ambitieux • attentionné • aventurier • compétitif • confiant • conservateur •
> déterminé • émotif • généreux • gourmand • patient • rancunier • rigide • serviable •
> sentimental • solitaire • soupçonneux • sociable • timide

Exemple : Je conserve dans tous les milieux mes manières habituelles.   **conservateur**

1. J'ai des principes stricts auxquels je me conforme. _____

2. J'aime être le premier partout, avoir le pas sur les autres. _____

3. J'aime passer du temps tout seul. _____

4. J'aime manger. _____

5. J'ai toujours des doutes quant à la bonne foi des autres. _____

6. J'aime être entouré de gens. _____

7. J'exprime mon affection par des mots tendres, des attentions délicates. _____

8. Je veux aller loin dans la vie. _____

9. Je prends très à cœur de petites choses que je sais pourtant sans importance. _____

10. Je cherche plus à servir les autres qu'à me servir d'eux. _____

11. J'aime le risque, l'aventure. _____

12. Je fais confiance aux gens. _____

13. J'achève toujours ce que j'ai commencé. _____

14. Je suis porté à m'effacer devant les autres. _____

15. J'ai une rancune persistante. _____

16. Je sais attendre. Tout finit par arriver. _____

17. J'aime faire des cadeaux aux gens, leur offrir des choses. _____

18. Je m'attendris facilement sur le sort des autres. _____

B. Adverbe ou adjectif ? Encerclez l'adjectif ou l'adverbe suivant le sens, comme dans l'exemple.

> **Exemple :** Je me laisse (facilement) / facile séduire par la nouveauté d'une idée.

1. Je parle calme / calmement.
2. J'ai horreur de ce qui est habituel / habituellement et prévu longtemps à l'avance.
3. Généralement, je fais ce que j'ai à faire rapidement / rapide.
4. Je suis ponctuel / ponctuellement, voire en avance.
5. Je préfère les distractions à caractère intellectuel / intellectuellement.
6. J'accepte d'assister à des soirées même si c'est péniblement / pénible pour moi.
7. Je suis naturel / naturellement méfiant.
8. Je pense à tout ce qui peut arriver et je m'y prépare soigneux / soigneusement.
9. Je rends fréquent / fréquemment visite à mes amis.
10. Je mange lent / lentement en savourant.

C. Lisez les textes suivants à propos des introvertis et des extravertis. Ensuite, comme dans l'exemple, trouvez cinq adjectifs qu'un introverti pourrait utiliser pour décrire un extraverti et cinq adjectifs qu'un extraverti pourrait utiliser pour décrire un introverti.

Tout est question de perception

Les **introvertis** aiment rester à la maison. Ils ont besoin d'espace et de temps pour eux. Quand ils sont dans une foule, ils se sentent mal à l'aise. Ils n'aiment pas les soirées. Ils ne racontent pas leurs états d'âme à tout le monde. Ils agissent prudemment et calmement. Ils ne supportent pas d'être le centre de l'attention. Ils préfèrent se concentrer sur un ou deux champs d'intérêt qu'ils explorent en profondeur. Ils réfléchissent avant d'agir. Pour eux, la réflexion est très importante. Ils se concentrent facilement. Ils sélectionnent leurs activités soigneusement. Ils communiquent avec difficulté au sein d'un groupe.

Les **extravertis** aiment bien les gens et ont besoin des autres. Ils ont beaucoup d'énergie, font du bruit, communiquent avec excitation et enthousiasme. Ils adorent les soirées. Quand ils ne sont pas avec les autres, ils éprouvent de l'angoisse. Ils sont à l'aise et se confient facilement. Ils parlent beaucoup et vite. Ils font preuve d'impulsivité et leurs propos peuvent paraître menaçants. Ils prennent beaucoup de place.

L'introverti	**L'extraverti**
Exemple : Les introvertis sont casaniers.	**Exemple :** Les extravertis sont impulsifs.
1.	1.
2.	2.
3.	3.
4.	4.
5.	5.

Feng Shui

A. Lisez le texte suivant.

Qu'est-ce que le Feng Shui ?

« Le Feng Shui est l'art d'harmoniser l'énergie universelle dans l'habitation. Science millénaire tibétaine et chinoise, le Feng Shui s'appuie sur une observation des lois universelles qui organisent la nature afin d'équilibrer ces forces fondamentales à travers de l'aménagement et la décoration intérieure. Il remet donc en mouvement tous les éléments qui entrent en scène dans la décoration de la maison : depuis l'agencement du mobilier, aux formes des objets décoratifs, en passant par les combinaisons de couleurs, le cycle des matières, et, d'une manière essentielle, la symbolique dont chaque espace intérieur est animé.

En modifiant l'aménagement d'une habitation, nous déplaçons instantanément les courants universels qui circulent de pièce en pièce. La vibration dans l'espace s'en trouve élevée et une harmonie semble naître des lieux et relier les habitants à une nouvelle perception de leur environnement intime qui, à son tour, agira sur leur inconscient. L'habitation est en effet tel un corps ultime ; ainsi, elle filtre et active notre relation psychique avec le monde qui nous entoure d'une façon à chaque fois unique. Lorsque nous déménageons, nous décorons notre intérieur avec nos goûts, des couleurs choisies, nous attribuons à chaque objet une place définie et non une autre, en symbiose avec notre structure psychique. Cette relation, souvent inconsciente, a pour effet d'ajuster une cartographie de notre psychisme, dont l'agencement zone par zone de l'habitation est le reflet.

Prendre conscience de cette interaction naturelle et stimuler celle-ci, l'utiliser tel un tremplin, peut déclencher d'emblée par effet de miroir des transformations dans la vie des habitants : de l'amour aux affaires, de la santé aux enfants, de la profession à l'abondance, de la communication au développement intérieur... »

TEXTES D'ALEXANDRA VIRAG ET BRUNO COLET
Extraits adaptés de *Feng Shui Force d'Harmonie*

Source: http://www.fengshuizone.com/description.html

B. Remplacez la partie soulignée par des adjectifs du texte qui, selon vous, expriment le même sens, comme dans l'exemple.

Exemple : L'énergie de l'univers	**universelle**
1. une science très ancienne	_____
2. une science originaire du Tibet et de la Chine	_____
3. la décoration de la maison	_____
4. des objets qui décorent	_____
5. la structure mentale	_____

C. Quelques conseils Feng Shui

Remplissez les blancs à l'aide des adjectifs proposés à droite. Choisissez l'adjectif selon le contexte et faites les accords en genre et en nombre.

Exemple :	Les objets **arrondis** concentrent l'énergie **positive**.	positif, arrondi
1.	Les plantes permettent de faire circuler l'énergie _____ et d'arrondir les angles _____.	nutritif, saillant
2.	Les cristaux sont _____. _____ dans une entrée, ils modèrent le flux d'énergie.	suspendu, stimulant
3.	Un carillon _____ placé au-dessus de la porte dévie l'énergie _____.	négatif, chinois
4.	L'orangé est une couleur _____ qui ajoutera une touche de convivialité à une salle à manger _____.	sombre, gai
5.	Des bougies _____ dans la chambre à coucher sont _____.	apaisant, parfumé
6.	La salle à manger _____ est _____ à l'est.	idéal, situé
7.	Les huiles _____ créent une atmosphère _____.	magique, essentiel
8.	Une fontaine trouve sa place dans le secteur prospérité (nord-ouest), car l'eau _____ a un effet _____ sur l'énergie.	courant, revigorant
9.	Le vert et le jaune constituent une _____ association pour une cuisine Feng Shui _____.	heureux, réussi

Conseils tirés et adaptés de *Une maison en parfaite harmonie. Préceptes et bienfaits de la décoration Feng Shui*, Montréal, Éditions Hurtubise HMH, 2005.

Tableau d'entraînement

Tableau 1

Remplissez le tableau à l'aide d'adjectifs dont la terminaison est la même que celle de l'adjectif de départ. Dans la troisième colonne, indiquez s'il s'agit du féminin (F), du masculin (M) ou des deux. Inspirez-vous de l'exemple.

	Adjectifs	Adjectifs	Adjectifs	Genre : M ou F
Exemple :	*petit*	*instruit*	*intéressant*	M
1.	sensu**el**			
2.	passionn**ée**			
3.	charman**te**			
4.	professionn**elle**			
5.	ac**tive**			
6.	autonom**e**			
7.	dynam**ique**			
8.	génér**euse**			
9.	sport**if**			
10.	affectu**eux**			
11.	sta**ble**			
12.	étrang**er**			
13.	cultiv**é**			
14.	natur**el**			
15.	conf**us**			
16.	américai**n**			
17.	intéri**eur**			
18.	prem**ière**			
19.	anci**enne**			
20.	fi**n**			

Tableau d'entraînement

Tableau 2

Trouvez un déterminant et un nom qui s'accordent avec chacun des adjectifs donnés dans la colonne de droite, comme dans l'exemple.

Déterminants	Noms	Adjectifs
Exemple : *une*	*voiture*	*sportive*
1.		mal élevé
2.		spacieux
3.		chaleureuses
4.		cultivé
5.		intéressant
6.		charmante
7.		tranquille
8.		épatantes
9.		fâcheux
10.		ensoleillée
11.		modernes
12.		aimable
13.		exigeant
14.		difficile
15.		jolies
16.		jeune
17.		agréable
18.		intelligente
19.		accueillant
20.		techniques

Tableau d'entraînement

Tableau **3**

Complétez le tableau à l'aide d'un adjectif, d'un nom ou d'un verbe, comme dans l'exemple.

	Adjectifs	Noms	Verbes
Exemple :	*créatif*	*la création*	*créer*
1.		la promesse	
2.			équiper
3.	discipliné		
4.		la méfiance	
5.	charmant		
6.			intéresser
7.	agressif		
8.		la satisfaction	
9.	soucieuse		
10.			aimer
11.		l'ennui	
12.	amusant		
13.			exiger
14.	accueillante		
15.	innovateur		
16.		la liberté	
17.			calculer
18.		un sourire	
19.	salissant		
20.	encourageant		

Tableau d'entraînement

Tableau **4**

Trouvez les antonymes et, s'il y a lieu, les noms et les verbes ou expressions correspondant aux adjectifs donnés. Suivez l'exemple.

Adjectifs	Antonymes	Noms
Exemple : *intolérant*	*tolérant*	*intolérance*
1. sale		
2. malhonnête		
3. actif		
4. indiscipliné		
5. désorganisé		
6. imprudent		
7. passif		
8. inhumain		
9. déloyal		
10. ignorant		
11. indiscret		
12. menteur		
13. méchant		
14. difficile		
15. dangereux		
16. laid		
17. dépensier		
18. violent		
19. égoïste		
20. superficiel		

3 Le passé composé

Tableau grammatical

Le passé composé

A. Formation

1. En général, les verbes au passé composé se conjuguent avec l'auxiliaire *avoir*.

Exemples	sujet + $\longrightarrow$	auxiliaire *avoir* + $\longrightarrow$	participe passé
Forme affirmative	j'	ai	vu
Forme négative	je	n'ai pas	vu

2. Les verbes suivants se conjuguent avec l'auxiliaire *être* :

arriver, rester, tomber, décéder, aller, mourir, partir, naître, venir, devenir, revenir, parvenir, monter, entrer, retourner, descendre, sortir, passer (lorsqu'ils sont intransitifs).

Exemples	sujet + $\longrightarrow$	auxiliaire *être* + $\longrightarrow$	participe passé accordé
Forme affirmative	nous	sommes	arrivés
Forme négative	nous	ne sommes pas	arrivés

3. Tous les verbes pronominaux se conjuguent avec l'auxiliaire *être**.

Exemples	sujet + $\longrightarrow$	auxiliaire *être* + $\longrightarrow$	participe passé accordé
Forme affirmative	nous	nous sommes	couchés
Forme négative	nous	ne nous sommes pas	couchés

* Certains participes passés de verbes pronominaux conjugués avec *être* s'accordent ; d'autres ne s'accordent pas.

B. Participes passés

En –É
Tous les verbes se terminant par **–ER** à l'infinitif, mais également *être* et *naître*.

Exemples		
	aller	allé
	chanter	chanté
	être	été
	manger	mangé
	naître	né

En –I

Presque tous les verbes se terminant par **–IR** à l'infinitif.

Exemples :

abolir	aboli	choisir	choisi
cueillir	cueilli	démolir	démoli
dormir	dormi	finir	fini
fournir	fourni	grandir	grandi
grossir	grossi	investir	investi
réagir	réagi	réfléchir	réfléchi
remplir	rempli	servir	servi
sortir	sorti		

En –U

1. attendre	attendu	2. convenir	convenu	3. courir	couru
défendre	défendu	devenir	devenu	obtenir	obtenu
descendre	descendu	revenir	revenu	retenir	retenu
perdre	perdu	venir	venu	soutenir	soutenu
rendre	rendu			tenir	tenu
vendre	vendu				
vivre	vécu				

4. devoir	dû	5. boire	bu	6. battre	battu
falloir	fallu	croire	cru	connaître	connu
pleuvoir	plu	lire	lu		
pouvoir	pu	plaire	plu		
prévoir	prévu				
recevoir	reçu				
savoir	su				
voir	vu				
vouloir	voulu				

En –T

1. conduire	conduit	2. éteindre	éteint	3. dire	dit
construire	construit	peindre	peint	écrire	écrit
détruire	détruit	plaindre	plaint	faire	fait
inscrire	inscrit			mourir	mort
traduire	traduit				

En –IS

1. compromettre	compromis	2. apprendre	appris	3. asseoir	assis
mettre	mis	comprendre	compris		
permettre	permis	prendre	pris		
soumettre	soumis	surprendre	surpris		

En –ERT

couvrir	couvert
découvrir	découvert
offrir	offert
ouvrir	ouvert

C. Emploi

1. On utilise le passé composé pour exprimer des actions qui se sont déroulées dans le passé.

a) une action ponctuelle	Exemples :	Hier, un incendie a eu lieu. Hier, on est allés au cinéma.
b) une série d'actions ponctuelles et chronologiques	Exemple :	En 1985, il a obtenu son permis de conduire. Puis, il a acheté un camion.

D. Marqueurs de temps

1. qui font avancer l'action	2. qui évoquent un moment précis
avant ça	hier
après ça	il y a x temps
ensuite	le... juin 20...
puis	en 1999
tout de suite après	ce soir-là
enfin	un jour
en terminant	à 4 heures
pour finir	
à la fin	
finalement	
à un moment donné	
plus tard / quelques (heures, jours, semaines, mois) plus tard	

Objectifs grammaticaux

Le passé composé

Les expressions de temps (chronologie)

Objectif de communication

Raconter la vie d'une personne célèbre.

Bombardier

A. Lisez la biographie de Joseph-Armand Bombardier.

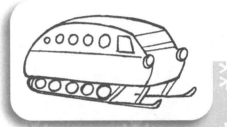

SAVIEZ-VOUS QUE... ?

Le véhicule mondialement connu sous le nom de Ski-Doo devait s'appeler Ski-Dog. C'est par suite d'une erreur d'impression dans la documentation remise aux distributeurs que le Ski-Dog a été rebaptisé Ski-Doo.

À la fois inventeur génial et entrepreneur visionnaire, J.-A. Bombardier a marqué toute une époque de notre histoire. Il a passé sa vie à concevoir et à améliorer des véhicules capables de se déplacer sur la neige. En 2000, le gouvernement du Canada a émis un timbre-poste en l'honneur de Joseph-Armand Bombardier.

Biographie

1907 Naissance à Valcourt de Joseph-Armand Bombardier.

1926 Il s'établit à son compte comme garagiste. Dans ses temps libres, il fait des recherches qui lui permettront d'inventer un véhicule pouvant se déplacer sur la neige et la glace.

1929 Il épouse Yvonne Labrecque avec qui il aura quatre enfants.

1937 Le B7, un véhicule capable de se déplacer dans la neige et pouvant transporter sept passagers, voit le jour.

1940 Il produit des véhicules pour l'armée canadienne.

1942 Lancement du modèle B12.
Fondation d'une corporation : L'Auto-Neige Bombardier Inc.

1948 Le gouvernement décide de commencer le déneigement des rues. Bombardier perd beaucoup de clients locaux.
La compagnie commence à fabriquer des véhicules tout-terrain pour les industries d'exploration minière et forestière.

1959 Naissance du Ski-Doo.

1964 Mort de Joseph-Armand Bombardier.

B. Remplissez les blancs en conjuguant les verbes ci-dessous au passé composé et en employant les marqueurs de temps appropriés.

Verbes :	Expressions de temps :
abandonner, avoir, décider, demander, naître, ouvrir, perdre, s'établir, se lancer, se marier, voir	alors, avant..., dans les années..., en..., ensuite..., pendant..., puis..., quand...

1. J.-A. Bombardier _____ à Valcourt _____ 1907.

2. À l'âge de 19 ans, il _____ à son compte. Il _____ un garage.

3. _____ ses temps libres, il faisait des recherches sur un véhicule capable de se déplacer sur la neige et la glace.

4. Il _____ en 1929. Le couple Bombardier _____ 4 enfants.

5. Le B7 _____ le jour _____ la guerre.

6. En 1940, l'armée canadienne _____ à Bombardier de fabriquer des véhicules capables de circuler sur la neige et la glace.

7. _____, Bombardier _____ la fabrication de véhicules pour les particuliers.

8. _____ le gouvernement _____ de déneiger les rues, la compagnie _____ beaucoup de clients locaux.

9. _____, elle _____ dans la fabrication de véhicules à deux roues.

10. Le Ski-Doo est apparu _____ 1950.

Objectifs grammaticaux
Le passé composé
La forme affirmative

Objectif de communication
Raconter des faits passés dans
l'ordre chronologique.

Deux fins de semaine bien différentes

A. D'après les renseignements donnés dans le tableau, composez un dialogue entre Sylvie et Carlos. Dans cet échange, ils racontent leur fin de semaine. Exercez-vous, puis jouez le dialogue devant la classe.

Sylvie
Déménagement

8 heures
Aller chercher le petit camion de déménagement.

9 heures
Chargement du camion.

10 heures
Luc reste à l'ancienne maison.
Sylvie et Jean-Pierre montent les boîtes.

11 heures
Chargement des meubles.

12 heures
Pause-dîner.

13 heures
Chargement des boîtes et d'autres objets.

14 heures
Remise du camion.
Prix : 100 $ pour la demi-journée.

15 heures à 19 heures
Rangement des boîtes et des meubles dans la nouvelle maison.
Ménage.
Souper.

Carlos
Accueil des amis

10 heures
Arrivée de l'avion à l'aéroport Pierre-Elliot Trudeau.

11 heures
Déposer les amis à l'hôtel.

12 heures
Rendez-vous dans le hall de l'hôtel.

13 heures
Dîner rapide dans un casse-croûte.

14 heures
Repos à l'hôtel.

17 heures
Balade en auto (Parc olympique, mont Royal, fleuve Saint-Laurent, Vieux-Montréal).

20 heures
Retour à l'hôtel.
Souper au restaurant (rue Saint-Denis).
Balade rue Saint-Denis.

23 heures
Bar-jazz. Vieux-Montréal.

B. Complétez les énoncés suivants au passé composé.

1. _____ le camion de déménagement.

2. À 20 h, _____ à l'hôtel.

3. _____ à l'ancienne maison.

4. Le camion _____ 100 $.

5. De 15 h à 19 h, _____ dans la nouvelle maison.

6. Sylvie et Jean-Pierre _____ .

7. À 13 h, _____ un dîner rapide.

8. _____ au Parc olympique.

9. _____ au restaurant.

10. _____ le Vieux-Montréal.

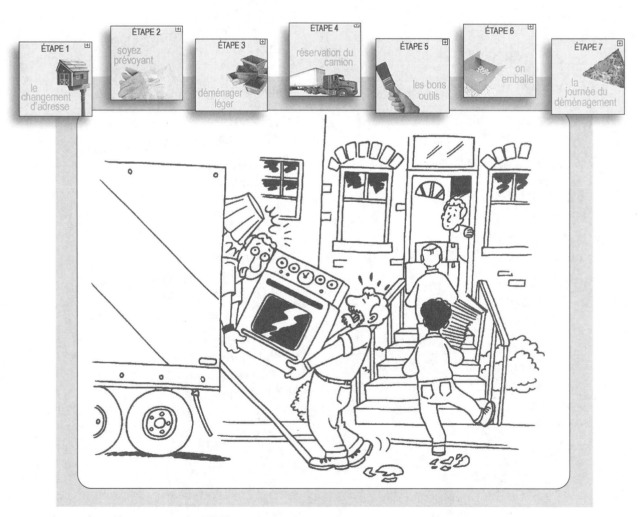

Source : http://www.trucsmaison.com/demenagement/

3

Objectifs grammaticaux
Le passé composé
Quelque chose se passer / arriver

Objectif de communication
Raconter un fait ponctuel au passé.

Tu sais ce qui m'est arrivé ?

A. Construisez des dialogues selon le modèle suivant.
Répétez un dialogue, puis jouez la scène devant la classe.

A : — Tu sais ce qui m'est arrivé ?
B : — Non.
A : — Ma voiture est tombée en panne.
B : — Qu'est-ce que tu as fait alors ?
A : — J'ai appelé CAA. / Il a fallu que j'appelle CAA. / J'ai été obligé d'appeler CAA.
B : — Tu n'es pas chanceux !

A : — Tu sais ce qui m'est arrivé ?

B : — Non.

A : — _____

mes clés.

B : — Qu'est-ce que tu as fait alors ?

A : — _____

_____

B : — Tu n'es pas chanceuse !

B. Voici d'autres exemples de situations fâcheuses. À partir de ces idées, composez des dialogues de la même manière qu'à l'exercice A. Travaillez en équipes de deux.

1. J'ai perdu ma montre ⟶ acheter une autre montre.

   _____

2. On m'a volé mon sac ⟶ rentrer à pied.

   _____

3. Nous avons oublié nos passeports ⟶ retourner à la maison les chercher.

   _____

4. Il a perdu son portefeuille ⟶ téléphoner à la banque.

   _____

5. J'ai été pris dans un ascenseur ⟶ attendre une heure.

   _____

6. J'ai laissé mes clés à l'intérieur de la voiture ⟶ appeler CAA.

   _____

7. Nous avons manqué notre vol ⟶ acheter un autre billet.

   _____

8. J'ai oublié un gâteau dans le four et il a brûlé ⟶ acheter un gâteau à la pâtisserie.

   _____

9. Il n'a pas réussi son examen d'admission ⟶ choisir une autre école.

CAPSULE GRAMMATICALE

Quelques verbes utiles pour raconter un fait ponctuel au passé.

quelque chose _arriver_ **à une personne**
quelque chose _se passer_
Qu'est-ce qui s'est passé ?
Qu'est-ce qui est arrivé ?

– devoir : j'ai dû appeler
– falloir : il a fallu appeler
– être obligé de : j'ai été obligé d'appeler
– être forcé de : j'ai été forcé d'appeler

Il m'est arrivé...
Il t'est arrivé...
Il lui est arrivé...
Il nous est arrivé...
Il vous est arrivé...
Il leur est arrivé...
} quelque chose

4

Objectifs grammaticaux
Le passé composé
Les formes affirmative et négative
Les adverbes : *déjà, pas encore, une fois, jamais*
Auxiliaire + adverbe + participe passé

Objectif de communication
Raconter des faits inhabituels au passé.

C'est curieux...

A. En équipes de deux, répondez aux questions suivantes.
Voici des structures de phrases que vous pouvez utiliser dans vos réponses.

> *J'ai déjà* + **participe passé**
> *Je n'ai jamais* + **participe passé**
>
> *Je n'ai pas encore* + **participe passé**
> *Mais une fois j'ai* + **participe passé**

1. As-tu / Avez-vous déjà sauté en parachute ?
2. As-tu / Avez-vous déjà fait le tour du monde ?
3. As-tu / Avez-vous déjà vu un ovni ?
4. As-tu / Avez-vous déjà mangé du chien ?
5. As-tu / Avez-vous déjà trouvé de l'argent dans la rue ?
6. As-tu / Avez-vous déjà rencontré une personnalité célèbre ?
7. As-tu / Avez-vous déjà visité la ville de Québec ?
8. As-tu / Avez-vous déjà fait du camping en montagne ?
9. As-tu / Avez-vous déjà bu plus de quatre bières de suite ?
10. As-tu / Avez-vous déjà passé une nuit blanche ?
11. As-tu / Avez-vous déjà eu un accident de voiture ?
12. As-tu / Avez-vous déjà participé à un marathon ?
13. As-tu / Avez-vous déjà participé à une émission télévisée ?
14. As-tu / Avez-vous déjà fait du pouce ?
15. As-tu / Avez-vous déjà fait du saut en « bungee » ?
16. As-tu / Avez-vous déjà fait du ski acrobatique ?
17. As-tu / Avez-vous déjà été membre du jury dans un procès ?
18. As-tu / Avez-vous déjà conduit une motoneige ?
19. As-tu / Avez-vous déjà été pris dans un ascenseur ?
20. As-tu / Avez-vous déjà raté votre avion ?
21. As-tu / Avez-vous déjà monté les escaliers d'un édifice de 20 étages ?
22. As-tu / Avez-vous déjà gagné un voyage dans un concours ?
23. As-tu / Avez-vous déjà reçu un massage ?
24. As-tu / Avez-vous déjà donné un massage ?

CAPSULE GRAMMATICALE

1. Place de l'adverbe dans les phrases au passé composé :
   J'ai **déjà** vu un ovni.
   Je n'ai **jamais** vu d'ovni.
   Je n'ai **pas encore** fait de camping en montagne (mais j'en ferai un jour).

2. Adverbes qui se placent fréquemment devant le participe passé :

tout	à peine	tellement	aussi	rien	jamais
beaucoup	peu	tout à fait	bien	encore	toujours
assez	vraiment	trop	souvent	déjà	à peu près

Objectifs grammaticaux

Le passé composé

Les formes affirmative et négative

Les adverbes : *déjà, encore, tout*

Objectif de communication

Raconter un fait ponctuel au passé.

Quel remue-ménage !

A. La famille Gagnon va bientôt déménager. Regardez les images des deux maisons et répondez aux questions suivantes : Qu'est-ce que les Gagnon ont déjà fait ? Qu'est-ce qu'ils n'ont pas encore fait ? Travaillez en équipes en utilisant les structures du tableau ci-dessous.

> *Ils ont déjà* + **participe passé**
> *Ils n'ont pas encore* + **participe passé**
>
> *Il a déjà* + **participe passé**
> *Elle n'a pas encore* + **participe passé**

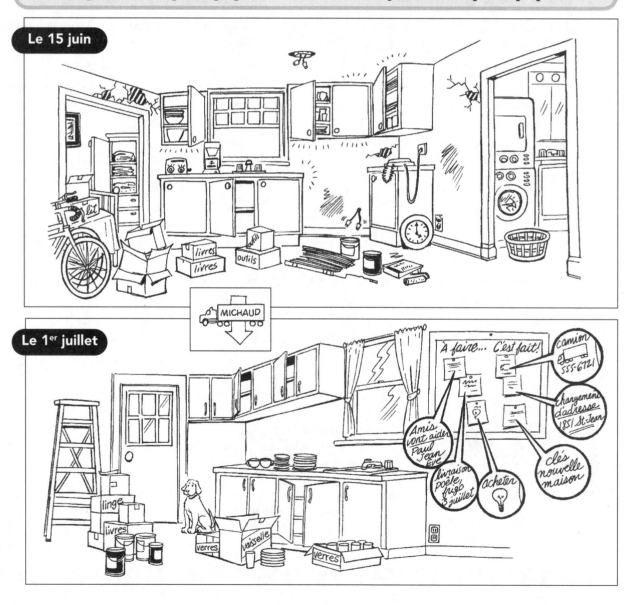

Objectifs grammaticaux
Le passé composé
Il y a eu un / une / des + nom
Il n'y a pas eu de + nom
Ça s'est passé
Les formes interrogatives : *qu'est-ce qui s'est passé ?*
où ? quand ? est-ce qu'il y a eu des... ?

Objectif de communication
Rapporter un événement passé.

L'état du monde

A. Regardez le tableau ci-dessous. Dans la colonne de gauche, des titres de journaux annoncent des événements. Avec un ou une partenaire, posez-vous des questions pour chaque événement. Répondez-y oralement en suivant le modèle.

À LA UNE

Exemple **Inondations au Bangladesh**

Qu'est-ce qui s'est passé?	Il y a eu des inondations.
Où est-ce que ça s'est passé?	Ça s'est passé en Thaïlande.
Quand est-ce que ça s'est passé?	Ça s'est passé le mois dernier.
Est-ce qu'il y a eu des victimes?	Il y a eu plusieurs victimes.
Y a-t-il eu des personnes évacuées?	Beaucoup de personnes ont été évacuées.
Est-ce qu'il y a eu des dégâts?	Il y a eu beaucoup de dégâts. Beaucoup de gens ont perdu leurs maisons.
Quelles ont été les conséquences?	La Croix-Rouge a envoyé des denrées et des équipes de médecins.

1. **La tempête du siècle s'abat sur la ville de Québec**

2. **Un avion s'écrase à Amsterdam**

3. **L'ouragan Katrina frappe la Nouvelle-Orléans**

4. **Un feu détruit un musée de la capitale**

5. **Tsunami : plus de 219 000 victimes**

Objectifs grammaticaux
Le passé composé
La forme passive : *a été/ont été*
+ participe passé (accordé)
a/ont provoqué/produit/occasionné
il y a eu un/une/des

Objectif de communication
Rapporter un événement passé.

Qu'est-il arrivé ?

A. À partir des éléments proposés ci-dessous, racontez l'événement à un ou une partenaire.

Inondations à Montréal

- Vents violents : rupture de câbles électriques.
- Pannes d'électricité.
- Arbres déracinés.
- Évacuations/police/pompiers.
- Aéroport Pierre-Elliot Trudeau fermé. Annulation des vols. Pistes mouillées, dangereuses.
- Fermeture des musées avant les heures habituelles.
- Embouteillages.
- Ponts fermés à toute circulation.
- Problèmes de transport : trains, métros, autobus.
- État d'alerte. Aide des gouvernements de Québec et d'Ottawa.
- Nombreux accidents. Nombreuses chutes d'arbres et d'échafaudages.

B. Complétez le fait divers suivant.

La pluie et les vents violents de ces derniers jours ont provoqué _____

dans plusieurs secteurs de la ville. Plusieurs arbres _____ par la force

des vents. Les techniciens d'Hydro-Québec _____ rétablir l'électricité.

L'aéroport Pierre-Elliot Trudeau a été fermé en raison _____.

_____ de victimes, mais plusieurs blessés _____

à l'hôpital. Les policiers et les pompiers _____ évacuer plusieurs

secteurs de la ville. Le gouvernement _____ l'état d'alerte.

C. À vous maintenant ! Rédigez un fait divers à partir des informations suivantes.

> Incendie dans un commerce de Québec
> Perte totale
> Incendie criminel
> Lieu d'origine de l'incendie : le garage
> Pas de victimes
> Édifice voisin endommagé

_____

_____

_____

_____

_____

_____

_____

_____

_____

_____

CAPSULE GRAMMATICALE

Le passé composé peut être utilisé pour évoquer un événement passé.

1. Forme active	Forme passive
Sujet + auxiliaire *avoir* + participe passé	Sujet + auxiliaire *avoir* + été + participe passé (accordé)
Exemples : La tempête a paralysé les transports.	Les transports ont été paralysés par la tempête.

2. *Il y a eu +* un
une   + nom
des

Exemple : Il y a eu des blessés.

3. Verbes servant à décrire une conséquence :
provoquer, produire, causer, occasionner, entraîner
Exemple : Les vents ont causé la rupture de câbles électriques.

Objectifs grammaticaux
Le passé composé
Les formes interrogatives :
qu'est-ce qui s'est passé ? où est-ce que ça s'est passé ? quand est-ce que ça s'est passé ? est-ce qu'il y a eu des... + nom ?

Objectif de communication
Rapporter un événement passé.

Faits divers

A. Lisez les trois faits divers ci-dessous puis, en équipes, posez-vous les questions suivantes.

Qu'est-ce qui s'est passé ?	Est-ce qu'il y a eu des victimes ?
Où est-ce que ça s'est passé ?	Est-ce qu'il y a eu des dommages ?
Quand est-ce que ça s'est passé ?	Est-ce que la police est venue ?

1

Accident

Une femme a perdu la vie hier quand son automobile a embouti un camion en panne sur la voie de droite du tunnel Ville-Marie, à Montréal.
L'accident s'est produit à la hauteur de la sortie Saint-Laurent. Le chauffeur du camion a été hospitalisé, souffrant d'un choc nerveux.

2

VOL

Un guichet automatique pesant environ une tonne a été dérobé en fin de semaine dernière au collège Algonquin, à Ottawa.
Ni la banque ni la police ne savent combien d'argent se trouvait dans le guichet au moment du vol. La police ne possède encore aucune piste pouvant la conduire aux voleurs.

3

Manifestation

Quelques milliers de manifestants en faveur des droits de l'homme sont sortis hier dans les rues de Québec pour se prononcer contre la torture et le non-respect des libertés individuelles dans plusieurs pays du monde. Les manifestants se sont rendus en face du Parlement. Plusieurs d'entre eux portaient des photos de personnes persécutées.

B. Trouvez au moins deux expressions exprimant la même idée que l'expression en caractères gras.

1. Une femme **a perdu la vie**.

   _____

   _____

2. Son automobile **a embouti** un camion.

   _____

   _____

3. L'accident **s'est produit**.

   _____

   _____

4. Le chauffeur **a été hospitalisé**.

   _____

   _____

5. Un guichet **a été dérobé**.

   _____

   _____

6. Plusieurs personnes **ont manifesté**.

   _____

   _____

7. Les manifestants **ont parcouru** les rues.

   _____

   _____

Le passé composé
Les auxiliaires *avoir* et *être*
La forme affirmative

Tableau d'entraînement

Tableau 1

Complétez le tableau avec des verbes au passé composé à la forme affirmative, comme dans l'exemple.

1re personne du pluriel nous	2e personne du pluriel vous	1re personne du singulier je / j'
Exemple : *nous avons bu*	*vous avez bu*	*j'ai bu*
1.	vous êtes sortis	
2.		j'ai fait
3.	vous avez compris	
4. nous sommes arrivés		
5. nous sommes descendus		
6.	vous avez déménagé	
7.		j'ai lu
8.		je suis allé
9. nous avons invité		
10.	vous avez décidé	
11.		j'ai eu
12.	vous êtes venus	
13.		je suis resté
14. nous sommes partis		
15. nous avons dormi		
16.	vous avez écrit	
17.		j'ai dit
18.		j'ai disparu
19.	vous avez réussi	
20. nous avons menti		
21.		j'ai pris

Le passé composé
Le participe passé, l'infinitif
Le futur proche

Tableau d'entraînement

Tableau 2

Complétez le tableau à l'aide du participe passé, de l'infinitif ou du verbe conjugué soit au futur proche, soit au passé composé. Suivez les exemples.

Participe passés	Infinitifs	Verbes conjugués
Exemple : *nous avons bu*	*vous avez bu*	*j'ai bu*
Exemple : *écrit*	*écrire*	*je vais écrire*
1. conduit		j'ai
2. mis		tu vas
3.	aller	je suis
4. vendu		nous avons
5.	être	vous avez
6. compris		tu vas
7. rentré		on va
8.	faire	ils ont
9. aimé		tu vas
10. descendu		il est
11.	retourner	nous sommes
12. voulu		j'ai
13.	décider	nous allons
14.	amener	vous avez
15.	dire	ils ont
16. acheté		on va
17. loué		on a
18.	manger	vous allez
19. resté		on va
20.	partir	il est
21.	comprendre	nous avons

Le passé composé

Le passé composé
Les verbes pronominaux
et non pronominaux

Tableau d'entraînement

Tableau 3

Complétez le tableau avec des verbes pronominaux (colonne de gauche) ou non pronominaux, suivis d'un objet (colonne de droite), et conjugués au passé composé. Suivez l'exemple.

Verbes pronominaux	Verbes non pronominaux
Exemple : Je *me* suis lavé.	J'ai lavé *la voiture.*
1. Nous nous sommes excusés.	
2.	Vous avez promené le chien.
3.	Il a amusé les amis.
4. Je me suis énervée.	
5. Vous vous êtes renseignés.	
6.	On a inscrit les enfants à l'école.
7.	J'ai couché les enfants.
8. Ils se sont préparés pour le voyage.	
9.	Nous avons réveillé nos invités.
10. Il s'est regardé dans le miroir.	
11.	J'ai levé les bras.
12.	J'ai changé le billet.
13. Vous vous êtes blessés.	
14. Nous nous sommes habillés.	
15.	Vous avez baigné le chat.
16.	Nous avons retourné ce livre.
17. Je me suis informé.	
18.	Ils ont invité tous les amis.
19. Nous nous sommes essuyés.	
20. Vous vous êtes parfumés.	
21.	Elle a maquillé les enfants pour l'Halloween.

Tableau d'entraînement

Tableau 4

A. Complétez chaque ligne du tableau avec des participes passés à terminaison particulière.

1. parti				fini	
2. entré			retourné		
3. lu				vu	
4.	acheté				
5. dit			écrit		
6.	ouvert				couvert
7.	éteint				
8.		compris			

B. Classez les verbes suivants en cinq groupes d'après la terminaison de leurs participes passés. Écrivez les participes passés dans les colonnes prévues à cette fin.

prendre	aller	naître	comprendre	saluer	écrire
venir	lire	apprendre	aider	partir	voir
tenir	écouter	faire	être	découvrir	polir
offrir	accepter	sentir	descendre	conduire	choisir
finir	travailler	**mettre**	acheter	vendre	permettre

		-is	-é	-u	-i	-t
Exemple :	*mettre*	mis				
1.						
2.						
3.						
4.						
5.						
6.						
7.						
8.						

Le passé composé
Les auxiliaires *avoir* et *être*
Les formes affirmative et négative

Tableau d'entraînement

Tableau 5

Complétez le tableau avec des verbes conjugués au passé composé à la forme affirmative ou à la forme négative, selon le cas. Suivez l'exemple.

Forme affirmative	Forme négative
Exemple : *nous avons appris*	*nous n'avons pas appris*
1. ils sont arrivés	
2.	je n'ai pas bu
3.	je ne me suis pas levé
4. tu as compris	
5. il a fait	
6.	il n'est pas venu
7. je me suis promené	
8. il a dit	
9.	on n'a pas compris
10.	vous n'avez pas aimé
11. tu t'es dépêché	
12.	il n'a pas répété
13. nous nous sommes endormis	
14.	je ne suis pas rentrée
15. ils ont lu	
16. vous vous êtes renseignés	
17. j'ai attendu	
18. vous avez mangé	
19.	vous n'avez pas fait
20. il est sorti	

Tableau d'entraînement

Tableau 6

Complétez le tableau en choisissant l'auxiliaire approprié, comme dans l'exemple.

Pronoms	Auxiliaires	Participes passés
Exemple : *Je*	*suis*	*allé*
1. Vous		venus
2. Il		mangé
3. Nous nous		couchés
4. Je/J'		donné
5. Elles		vendu
6. Vous		téléphoné
7. Je me		promené
8. Vous		restés
9. Je/J'		descendu
10. Vous vous		servis
11. Elle		compris
12. Ils		appris
13. Nous		pu
14. Nous		devenus
15. On		fait
16. Nous nous		amusés
17. On se/s'		reposés
18. Je/J'		pris
19. Elle		attendu
20. Il		été

Tableau d'entraînement

Le passé composé
La forme passive et la forme active
(3ᵉ personne)

Tableau **7**

Complétez le tableau en mettant les phrases à la forme active ou à la forme passive, comme dans les exemples.

	Forme active	Forme passive
Exemple :	*La tempête a paralysé les transports.*	*Les transports ont été paralysés par la tempête.*
1.	Le feu a détruit les quatre bâtiments.	
2.		Les voleurs ont été arrêtés par la police.
3.	On a fermé le tunnel Ville-Marie.	
4.		La voiture a été saisie.
5.	Le juge a convoqué les témoins.	
6.	Quelqu'un a commis un vol à main armée.	
7.		Les câbles électriques ont été brisés par le vent.
8.	La police a entrepris une enquête.	
9.	L'enquêteur a interrogé le suspect.	
10.		Une grande région a été dévastée par les flammes.
11.	On a retrouvé le tableau volé.	
12.		La délégation étrangère a été reçue par le premier ministre.
13.	On a signalé la défectuosité.	
14.		Les vols ont été reportés.
15.	Le juge a prononcé la sentence.	

4 L'imparfait

Page	Tableaux d'entraînement	Objectifs grammaticaux
97	**Tableau 1**	Le présent et l'imparfait La forme affirmative Les terminaisons
98	**Tableau 2**	Le présent et l'imparfait La forme négative
99	**Tableau 3**	Le présent et l'imparfait
101	**Tableau 4**	Le présent et l'imparfait

Tableau grammatical

L'imparfait

A. Formation

Pronom +	Radical +	Terminaisons de l'imparfait écrites	orales
je / tu	fais	AIS	[e]
on / il / elle	fais	AIT	[e]
ils / elles	fais	AIENT	[e]
nous	fais	IONS	[jɔ]
vous	fais	IEZ	[je]

Exemple : Quand j'**avais** 12 ans, je **faisais** du ski.

Exception : verbe *être*   j'étais
tu étais
on / il / elle était
nous étions
vous étiez
ils / elles étaient

B. Emploi

On utilise l'imparfait pour raconter :

a) des habitudes au passé   **Exemple :**   En 1999, j'habitais à Vancouver.

b) des descriptions au passé   **Exemple :**   La mer était d'un bleu turquoise éclatant.

c) des sentiments, des émotions au passé   **Exemple :**   J'étais mal à l'aise.

C. Marqueurs de temps souvent utilisés avec l'imparfait

À ce moment-là	À cette époque-là	Autrefois
Avant	D'habitude	De temps en temps
Des fois	Habituellement	Jadis
Jamais	Parfois	Quand
Souvent	Toujours	

Objectifs grammaticaux
L'imparfait
Les marqueurs de temps : *toujours, jamais, avant de, après, ça fait... que, depuis, il y a, dans, pendant, quand...*

Objectif de communication
Parler de faits habituels au passé.

Je t'aime comme un fou

A. Lisez le texte de la chanson.

Je t'aime comme un fou

Je t'aime comme un fou
Je t'aime comme un fou
Je t'aime comme un fou
Mais tu t'en fous

Je t'aime comme un fou
Je t'aime comme un fou
Je me tatoue ton nom tout partout

Pour que tu me trouves plus beau
quand tu me verras tout nu
J'ai perdu vingt kilos t'en es-tu aperçue ?
Pour retrouver ma ligne, pour retrouver mon swing
Je fais du bodybuilding, du tennis, du jogging

M'as-tu vu courir
M'as-tu vu courir
M'as-tu vu courir dans ta rue ?

Je t'aime comme un fou
Je t'aime comme un fou
Je t'aime comme un fou
Mais tu t'en fous

Je t'aime comme un fou
Je t'aime comme un fou
Je me tatoue ton nom tout partout

Tu me donnes de l'énergie comme je n'en ai jamais eu
À cause de toi ma vie a pris de la plus-value
Je me sens comme un champion qui court le marathon
Chaque fois que tu me dis non, je redouble d'ambition

Depuis que je t'ai rencontré
À une séance d'aérobic
Toute ma vie a changé
Maintenant je me réveille en musique

M'as-tu vu courir
M'as-tu vu courir
M'as-tu vu courir dans ta rue ?

Je t'aime comme un fou
Je t'aime comme un fou
Je t'aime comme un fou
Mais tu t'en fous

Je t'aime comme un fou
Je t'aime comme un fou
Je me tatoue ton nom tout partout

Je t'aime comme un fou
Je t'aime comme un fou
Je t'aime comme un fou
Mais tu t'en fous

Je t'aime comme un fou
Je t'aime comme un fou
Je me tatoue ton nom tout partout...

Auteur : Luc Plamondon
Compositeur-interprète : Robert Charlebois
© Les Éditions Mondon Inc.

B. Philippe a rencontré Lucie à une séance d'aérobie et est tombé amoureux fou d'elle. Imaginez quelle était la vie de Philippe avant leur rencontre. Discutez-en oralement avec un ou une partenaire, puis remplissez les blancs en utilisant des verbes à l'imparfait, comme dans l'exemple.

Exemple : **Nourriture :** Il mangeait beaucoup de « junk food[1] ». Il mangeait mal. Il buvait beaucoup de bière.

Loisirs : _____
_____

Allure (vêtements) : _____
_____

Poids : _____
_____

Sommeil : _____
_____

Exercice : _____
_____

Usage de l'alcool et du tabac : _____
_____

1. Mot emprunté à l'anglais qui désigne un aliment sans valeur nutritive.

C. Depuis leur rencontre, Philippe écrit régulièrement des courriels à Lucie. Remplissez les blancs à l'aide des expressions de temps ci-dessous.

avant de
ça fait... que
ce matin
après
chaque fois que
dans
depuis
il y a
jamais
pendant
quand
toujours

Boîte de réception

| Supprimer | Indésirable | | Répondre | Rép. à tous | Réexpédier | Nouveau | Relever | | Rechercher |

5 février

Lucie, déesse de mes rêves,

_____ notre rencontre au club d'aérobie, je ne fais que penser à toi. J'ai commandé sur Internet plusieurs livres de nutrition et de conditionnement physique. _____ te rencontrer, je mangeais mal et je ne faisais presque _____ de sport. Mais ton arrivée dans ma vie m'a fait comprendre beaucoup de choses.

_____ trois semaines, je commence un cours de danse baladi. Ça va être super ! 😊 Voudrais-tu venir avec moi ? Je suis certain que ça te plairait.

Bisous,

Philippe 💜

7 février

Lucie, mon trésor,

_____ trois semaines, j'ai fait ta connaissance et je

ne me reconnais plus. _____ le téléphone sonne,

je cours prendre l'appel. Mais ce n'est jamais toi.

À bientôt !

Philippe, amoureux de toi

avant de
ça fait... que
ce matin
après
chaque fois que
dans
depuis
il y a
jamais
pendant
quand
toujours

10 février

Ma Luciole,

Je t'ai envoyé des messages toute la semaine passée. J'attends la

réponse anxieusement, mais je ne reçois _____

rien. As-tu eu mes courriels ? Tiens-moi au courant.

Ton ange gardien,

Philippe

11 février

Ma déesse sportive,

_____, je suis allé m'entraîner. J'ai couru

_____ une heure et j'ai fait une séance d'aérobie

_____ la course. Mais tu n'étais pas là. J'aimerais

tellement te revoir ! Je peux venir à ton cours d'aérobie, si tu veux.

Ou on peut aller au resto, pour la Saint-Valentin, par exemple. Je crois

que je suis 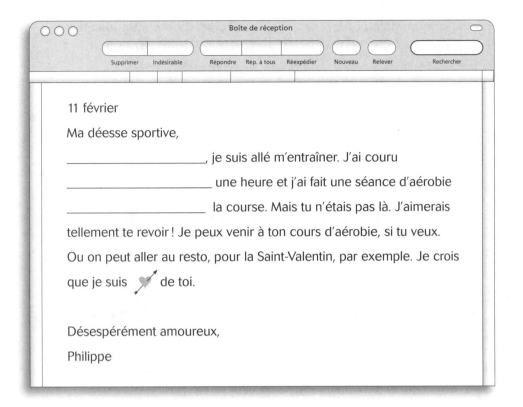 de toi.

Désespérément amoureux,

Philippe

16 février

Ma fleur sauvage,

As-tu reçu tous mes messages ? J'ai l'impression que tu ne veux pas

me voir. C'est vrai ?

Je continue mes séances au centre de conditionnement physique,

mais _____ au moins trois semaines _____

tu ne viens pas. As-tu changé de centre ?

J'attends de tes nouvelles avec ardeur et impatience.

Philippe

avant de
ça fait... que
ce matin
après
chaque fois que
dans
depuis
il y a
jamais
pendant
quand
toujours

Objectifs grammaticaux
L'imparfait
La forme interrogative : inversion

Objectif de communication
Décrire la vie d'une personne
à un moment passé.

En 19..

A. Interviewez un ou une partenaire en lui posant les questions du sondage ci-dessous. Consignez les renseignements recueillis dans les espaces prévus à cette fin dans la grille. Travaillez en équipes de deux. À tour de rôle, répondez aux questions en utilisant des verbes à l'imparfait.

Sondage	En 19..	En 200.
1. Aviez-vous des enfants ?		
2. Combien ?		
3. Habitiez-vous avec vos parents ?		
4. Habitiez-vous dans une maison ?		
5. Un appartement ?		
6. Où ?		
7. Étiez-vous aux études ?		
8. Lesquelles ?		
9. Aviez-vous des animaux ?		
10. Lesquels ?		
11. Aviez-vous une voiture ?		
12. Faisiez-vous du sport ?		
13. Lequel ?		
14. Fumiez-vous ?		
15. Habitiez-vous au Québec ?		

Sondage	En 19..	En 200.
16. Sortiez-vous le soir ?		
17. Étiez-vous marié ?		
18. Parliez-vous français ?		
19. Suiviez-vous un cours de français ?		
20. Aviez-vous des amis francophones ?		
21. Aviez-vous votre permis de conduire ?		
22. Aviez-vous un travail ?		
23. Alliez-vous souvent au cinéma ?		
24. Alliez-vous souvent au restaurant ?		
25. Invitiez-vous souvent des amis à la maison ?		
26. Étiez-vous heureux ?		
27. Faisiez-vous un travail intéressant ?		
28. Étiez-vous plus gros ou plus mince ?		
29. Aviez-vous un ordinateur ?		
30. Aviez-vous un téléphone cellulaire ?		

Objectifs grammaticaux
L'imparfait
Les marqueurs de temps

Objectif de communication
Décrire les habitudes d'une personne au passé.

Portrait d'un athlète olympique

A. Habitudes

Mario Dubois a 55 ans. Quand il était jeune, il était cycliste professionnel. En équipes de deux, parlez des habitudes de vie de Mario à 20 ans. Utilisez des verbes à l'imparfait ainsi que les expressions proposées ci-dessous.

- toujours
- souvent
- de temps en temps
- quelquefois
- tous les jours
- deux fois par jour
- le matin
- l'après-midi
- le soir

CAPSULE GRAMMATICALE

1. **L'imparfait est souvent utilisé pour décrire une situation passée différente de celle d'aujourd'hui.**

   Marqueurs de temps souvent utilisés avec l'imparfait :
   À cette époque-là
   Autrefois
   Jadis
   Avant
   En 19..
   À ce moment-là

2. **L'imparfait est souvent utilisé pour décrire des habitudes au passé.**

   Marqueurs de temps servant à exprimer l'habitude au présent et au passé :
   Souvent
   Jamais
   Toujours
   Quelquefois
   Parfois
   Tous les matins

Objectifs grammaticaux

L'imparfait et le présent
Dans les années..., avant, autrefois,
à cette époque-là
Aujourd'hui, de nos jours, actuellement
La comparaison : *moins, plus*

Objectif de communication

Comparer une situation présente
à une situation passée.

Ce n'est plus comme avant

A. Des gadgets

Dites si les objets suivants étaient sur le marché il y a 15 ans. Si la réponse est négative, dites quels autres objets les remplaçaient. Avec un ou une partenaire, parlez des changements. Utilisez l'imparfait, comme dans l'exemple.

Exemple : Il y a 15 ans, il n'y avait presque pas de **CD**. Il y avait des cassettes. Presque toute la musique était enregistrée sur des cassettes. Mais avant les cassettes, la musique était enregistrée sur des vinyles.

1. CD

2. DVD

3. GPS

4. Internet

5. Four à micro-ondes

6. IPod (baladeur numérique)

7. Télévision

8. Cinéma maison

9. Téléphone portable

10. Ordinateur portable

11. Graveur de DVD

12. Télécopieur

13. Appareil photo numérique

14. Montre numérique

15. Jeux vidéo en 3D

16. Walkies-talkies

B. Du phonographe au lecteur de CD

Remplissez les blancs en conjuguant le verbe entre parenthèses à l'imparfait.

Jusqu'à l'arrivée du phonographe, en 1886, les veillées (servir) _____ de prétexte à se réunir en famille et à fêter en compagnie de musiciens. Le phonographe (être) _____ un appareil qui (fonctionner) _____ avec un cylindre de cire gravé que l'on (manipuler) _____ à la main. Puis, le gramophone a fait son apparition. Il (utiliser) _____ un disque plat sur lequel le son (être) _____ gravé en spirale. Le son (être) _____ de moins bonne qualité qu'avec le phonographe, mais il (présenter) _____ un avantage: on (pouvoir) _____ reproduire le disque.

Quant au juke-box, il (s'agir) _____ d'un meuble assez imposant, une machine payante où l'on (sélectionner) _____ le morceau à jouer avec un système de touches (alphabétiques et numériques) après avoir inséré une pièce de monnaie. On les (trouver) _____ généralement dans les bars et les restaurants.

Aujourd'hui, la musique est enregistrée sur des disques compacts (CD) que l'on peut faire jouer dans son ordinateur personnel ou dans n'importe quel lecteur de CD branché sur des haut-parleurs.

Objectif grammatical
Les verbes à l'imparfait

Objectif de communication
Décrire des lieux et des personnages.

Novecento

Les textes suivants ont été tirés du récit d'Alessandro Baricco, *Novecento*[1]. Ce récit raconte la vie d'un pianiste de jazz né sur le bateau *Virginian* et qui n'en est jamais descendu.

A. Remplissez les blancs en conjuguant le verbe entre parenthèses à l'imparfait.

Ça (arriver) _____ toujours, à un moment ou à un autre, il y en (avoir)

_____ un qui (lever) _____ la tête... et qui la

(voir) _____.

C'(être) _____ difficile à expliquer. Je veux dire... on y (être) _____

plus d'un millier, sur ce bateau, entre les **rupins** en voyage et les émigrants, et d'autres

bizarres, et nous... Et pourtant, il y en (avoir) _____ toujours un, un seul sur tous

ceux-là, un seul qui, le premier, la (voir) _____. Un qui (être) _____

peut-être là en train de manger, ou de se promener, simplement sur le pont... ou de remonter

son pantalon... il (lever) _____ la tête un instant, il (**jeter**) _____

un coup d'œil sur l'océan... et il la (voir) _____.

Alors, il (**s'immobiliser**) _____, là, sur place, et son cœur

(battre) _____ à en exploser, et chaque fois, chaque maudite fois,

je le jure, il (se tourner) _____ vers nous, vers le bateau, vers tous les

autres et il (crier) _____ (adagio et lentissimo) : l'Amérique.

---

1. Alessandro Baricco, *Novecento : pianiste*, Paris, Gallimard, collection Folio, 2002.

B. Pour chaque mot ou expression de la colonne de gauche, cochez le meilleur équivalent parmi les options proposées dans la colonne de droite.

Plus d'un millier :	1000 ou plus ☐ 10 000 ou plus ☐
Un rupin :	une personne riche ☐ une personne pauvre ☐
Bizarre :	étrange ☐ rare ☐
Jeter un coup d'œil :	regarder rapidement ☐ regarder attentivement ☐
S'immobiliser :	s'arrêter ☐ se dépêcher ☐
Je le jure :	je le dis honnêtement ☐ je le dis sans être tout à fait sûr ☐

C. Remplissez les blancs en conjuguant les verbes entre parenthèses à l'imparfait.

C'est un marin appelé Dany Boodman qui l'avait trouvé. Il l'a trouvé un matin, alors qu'il ne (rester) _____ plus personne sur le bateau. Il (être) _____ dans une boîte en carton. Il (devoir) _____ avoir dans les dix jours, pas plus. Il ne (pleurer) _____ même pas et (rester) _____ là sans faire de bruit, les yeux ouverts dans sa grande boîte. Quelqu'un l'avait laissé dans la salle de bal des premières classes.

Sur le piano. Mais il n'(avoir) _____ pas l'air d'un nouveau-né de première classe. C'(être) _____ les émigrants qui (faire) _____ ça, en général. Ils (accoucher) _____ à la sauvette, quelque part sur le pont, et ils (laisser) _____ le gosse là. Pas par méchanceté, non. Mais c'(être) _____ la misère, la misère noire. Un peu comme pour leurs habits... ils (monter) _____ à bord avec des pantalons tout rapiécés au cul. Chacun avec ses habits qui (craquer) _____ de partout, les seuls qu'ils possédaient.

Mais à la fin, parce que l'Amérique restera toujours l'Amérique, tu les (voir) _____ descendre tous, bien habillés, avec même une cravate, les hommes et les enfants des genres de chemise blanche... ça ils (savoir) _____ y faire. Pendant ces vingt jours de traversée, ça (couper) _____, ça (coudre) _____, à la fin sur le bateau tu ne (retrouver) _____ même plus un rideau, plus un drap, rien : ils s'étaient fait le beau costume, pour l'Amérique.

Et à toute la famille. Tu ne (pouvoir) _____ rien leur dire.

D. Trouvez, dans le texte précédent :

1.	un synonyme de « donner naissance ».	
2.	un synonyme de « vite ».	
3.	un mot ou un groupe de mots indiquant que les émigrés embarqués pour l'Amérique étaient pauvres.	
4.	un synonyme de « voyage entre deux continents ».	
5.	un mot ou un groupe de mots indiquant que les émigrés faisaient de la couture sur le bateau.	
6.	un mot ou un groupe de mots indiquant que les émigrés volaient les tissus qu'ils trouvaient à bord.	

E. Faites une petite recherche sur Internet afin de découvrir pourquoi ce récit s'intitule *Novecento*.

_____

_____

_____

_____

_____

_____

_____

_____

F. À l'aide des informations obtenues à propos du récit, décrivez la vie de Novecento à bord du bateau. Utilisez des verbes à l'imparfait.

_____

_____

_____

_____

_____

_____

_____

_____

Si le sujet vous intéresse, vous pouvez visionner le court métrage que la réalisatrice Sara Van den Boom a réalisé en 2003, à partir du récit d'Alessandro Baricco : *Novecento : pianiste*. Vous le trouverez sur le site d'ARTE que voici : **http://www.arte.tv/fr/cinema-fiction/court-metrage/Visionner_20des_20films/400994,CmC=959208.html**

6

Objectifs grammaticaux
L'imparfait
Les formes affirmative et négative + adjectif
C'était + adjectif
Ce n'était pas + adjectif
Le pronom relatif *qui* + imparfait

Objectif de communication
Donner des détails sur un fait.

On veut des détails !

A. Complétez les énoncés suivants en décrivant à l'imparfait les éléments de la colonne de gauche à l'aide des adjectifs de la colonne de droite, comme dans les exemples.

Exemple : Nous **avons vu** un bon film en fin de semaine.
Le film **était** intéressant.
La musique **était** belle.
Les comédiens **n'étaient pas** bons.

1. Nous **sommes allés** au restaurant.
   Le restaurant _____
   Les repas _____
   Le service _____
   L'ambiance _____

2. Je **suis allé** au *party* chez Ali.
   La musique _____
   Les invités _____
   L'ambiance _____

3. Je **suis allé** en vacances au bord de la mer.
   L'hôtel _____
   Les services _____
   La mer _____
   La plage _____

4. Nous **avons fait** du camping.
   Le temps _____
   Les moustiques _____
   La tente _____
   Le lac _____

5. Nous **avons fait** un tour de vélo.
   La piste _____
   Le temps _____

6. J'**ai lu** un livre.
   Les personnages _____
   Les descriptions _____

7. J'**ai vu** comment un voleur volait le sac d'une dame dans le métro.
   Le voleur _____
   La dame _____

amusant / amusante
beau / belle
bon / bonne
calme
captivant / captivante
chaud / chaude
complet / complète
compliqué / compliquée
dégoûtant / dégoûtante
délicieux / délicieuse
désagréable
excellent / excellente
froid / froide
furieux / furieuse
grand / grande
indiscret / indiscrète
insupportable
intéressant / intéressante
jeune
laid / laide
long / longue
mauvais / mauvaise
médiocre
moderne
petit / petite
plaisant / plaisante
plate (registre familier)
plein / pleine de monde
réaliste
réussi / réussie
séduisant / séduisante
spacieux / spacieuse
superbe
sympathique
vieux / vieille

Le présent et l'imparfait
La forme affirmative
Les terminaisons

Tableau d'entraînement

Tableau **1**

Complétez le tableau en conjuguant les verbes à la première personne du pluriel au présent et à différentes personnes à l'imparfait, comme dans l'exemple.

Infinitif	Présent	Imparfait
Exemple : *attendre*	*nous attendons*	*j'attendais*
1. boire	nous	je
2. écrire	nous	tu
3. répondre	nous	vous
4. voir	nous	il
5. marcher	nous	ils
6. lire	nous	vous
7. acheter	nous	j'
8. conduire	nous	nous
9. choisir	nous	elles
10. connaître	nous	tu
11. décider	nous	ils
12. avoir	nous	j'
13. entrer	nous	on
14. finir	nous	vous
15. tomber	nous	tu
16. comprendre	nous	elle
17. partir	nous	nous
18. se promener	nous	elles
19. offrir	nous	on
20. devoir	nous	je
21. *Exception :* être	nous	nous

Tableau d'entraînement

Tableau **2**

Complétez le tableau avec des verbes à la forme négative conjugués au présent, au passé composé ou à l'imparfait, selon le cas. Suivez l'exemple.

Présent	Imparfait
Exemple : *je n'ai pas*	*je n'avais pas*
1. nous ne sortons pas	
2.	il ne faisait pas
3.	je ne pouvais pas
4. nous ne lisons pas	
5. on n'écoute pas	
6.	il n'était pas
7. on n'essaye pas	
8. je ne me couche pas	
9.	il n'attendait pas
10.	nous n'avions pas
11. je ne me repose pas	
12.	il ne venait pas
13. vous ne conduisez pas	
14.	on ne dormait pas
15. ils ne se baignent pas	
16. il ne pleut pas	
17.	je ne voyais pas
18. tu ne sors pas	
19.	il ne connaissait pas
20. on ne veut pas	

Tableau d'entraînement

Tableau 3

Complétez le tableau à l'aide des verbes conjugués au présent ou à l'imparfait précédés d'un marqueur de temps approprié, comme dans l'exemple.

Maintenant, De nos jours, Aujourd'hui, Actuellement, À l'heure actuelle	Avant, Autrefois, En 19__
Exemple : **Maintenant**, on s'entend.	**Avant**, on ne s'entendait pas.
1. De nos jours, les gens ont des téléphones cellulaires.	_____ _____
2. _____ _____	Autrefois, les mères restaient à la maison avec les enfants.
3. Aujourd'hui, presque tout le monde a un lecteur DVD à la maison.	_____ _____
4. _____ _____	Avant, les gens voyageaient rarement.
5. Actuellement, nous avons beaucoup d'appareils électroménagers.	_____ _____
6. _____ _____	En 1980, on ne consommait presque pas d'aliments biologiques.
7. À l'heure actuelle, les programmes sociaux sont moins intéressants.	_____ _____
8. _____ _____	En 1970, seules quelques personnes parlaient du réchauffement climatique.

Tableau d'entraînement

Tableau 3 (suite)

Maintenant, De nos jours, Aujourd'hui, Actuellement, À l'heure actuelle	Avant, Autrefois, En 19__
9. De nos jours, les jeunes apprennent plusieurs langues.	_____ _____
10. _____ _____	Autrefois, on pouvait fumer même dans les universités et les collèges.
11. Maintenant, tout le monde fait des transactions bancaires par Internet.	_____ _____
12. _____ _____	Avant, nous partions en vacances tous les ans.
13. Maintenant, les gens prennent les transports en commun.	_____ _____
14. _____ _____	Autrefois, louer une voiture était très cher.

Tableau d'entraînement

Tableau **4**

Remplissez les blancs en conjuguant les verbes entre parenthèses à l'imparfait.

---

1. Quand nous **1** _____ (être) jeunes, mon grand-père nous **2** _____

   (amener) souvent en excursion dans le bois. Avant de partir, notre grand-mère nous

   3 _____ (préparer) de délicieux sandwichs que nous **4** _____

   (manger) après deux ou trois heures de marche. Nous **5** _____ (passer) toute la

   journée à cueillir des framboises sauvages. Nous **6** _____ (adorer) ces journées.

   Près de la maison de mes grands parents, il **7** _____ (y avoir) un lac

   où nous **8** _____ (se baigner) souvent. Mon grand-père

   9 _____ (aimer) aller à la pêche. Parfois, mon père et mon oncle

   l'**10** _____ (accompagner), mais nous, les enfants, nous

   11 _____ (rester) à la maison, car la pêche c' **12** _____

   (être) seulement pour les grands.

---

2. À 8 ans, mon père m'a offert une chienne. Elle **1** _____ (s'appeler) Toutoune.

   Elle **2** _____ (être) toute noire. Ce **3** _____ (ne pas être) pas

   un chien de race, mais je l' **4** _____ (aimer) tellement! Tous les jours, nous

   5 _____ (se promener) dans la rue et quelques passants

   6 _____ (s'arrêter) toujours près de nous, car elle

   7 _____ (être) vraiment mignonne. Je **8** _____

   (ne pas se sentir) jamais seule avec ma chienne. Et quand j'**9** _____ (être) triste,

   elle me **10** _____ (consoler). Mais elle **11** _____ (avoir)

   un petit défaut. Elle **12** _____ (ne pas aimer) pas nos voisins et quand

   elle les **13** _____ (voir) arriver, elle **14** _____ (japper)

   très fort.

L'imparfait

Tableau **4** (suite)

3. Quand j'**1** _____ (être) toute petite, j'**2** _____ (avoir) peur

dans le noir. Dans ma chambre, il **3** _____ (y avoir) une grosse armoire

et le soir, quand tout le monde **4** _____ (dormir) paisiblement,

j'**5** _____ (entendre) des bruits bizarres à l'intérieur.

Je **6** _____ (se couvrir) avec mon édredon et

j'**7** _____ (attendre), car je **8** _____ (croire) qu'un

monstre poilu **9** _____ (pouvoir) sortir de l'armoire à tout moment et

me faire peur. Finalement, je **10** _____ (s'endormir). Le matin

quand ma mère **11** _____ (venir) me réveiller, elle me

12 _____ (demander) si j'**13** _____ (avoir) froid, car

elle me **14** _____ (trouver) toujours caché sous l'édredon en plumes.

5 L'imparfait et le passé composé

TABLE DES MATIÈRES

Tableau grammatical

L'imparfait et le passé composé

A. Emploi de *Quand* ou *Lorsque*

a) Quand + PC + PC

Exemples
Quand je suis arrivé, j'ai ouvert le courrier.
Lorsque j'ai vu Mathilde, j'ai couru à sa rencontre.

b) Quand + imparfait + imparfait

Exemple
Quand j'habitais en Alberta, je faisais de la planche à neige.

c) Quand + PC + imparfait

Exemple
Quand on a réservé la chambre, le prix était de 100 $.

B. L'action à l'imparfait explique l'action au passé composé.

a) PC + qui, que, où, parce que + imparfait

Exemples
Marcel n'est pas venu **parce qu'**il était malade.
J'ai vu le voleur **qui** sortait de la banque.

b) Comme + imparfait + PC

Exemple
Comme j'avais peur, je n'ai pas fait de saut en parachute.

c) Imparfait + alors + PC

Exemple
L'eau était froide, **alors** nous ne nous sommes pas baignés.

C. Le récit

L'imparfait (cadre de l'action) + marqueur de temps + PC (action)
Tout à coup, soudain, c'est alors que

Exemple
La chaussée était glissante et on ne voyait rien. **Tout à coup**, une voiture a dérapé.

D. Discours rapporté au passé

Discours direct	Discours rapporté
Ben parle à Zag : « Je chante avec la chorale de l'école. »	Ben **a dit** à Zag qu'il **chantait** avec la chorale de l'école.

Objectifs grammaticaux
Le passé composé et l'imparfait
Quand + passé composé + imparfait
L'imparfait + *quand* + passé composé
Quand + imparfait + imparfait
Quand + passé composé + passé composé

Objectif de communication
Raconter des faits passés.

Quand...

A. Regardez l'image. Dites ce que faisaient les élèves quand le professeur est entré dans la salle de classe. Travaillez en équipes de deux et utilisez la structure suivante.

> *Quand* + **PASSÉ COMPOSÉ** + **IMPARFAIT**
> **IMPARFAIT** + *quand* + **PASSÉ COMPOSÉ**

Quand le professeur est entré...

- _____
- _____
- _____
- _____

- _____
- _____
- _____
- _____

B. Regardez l'image et dites ce que chacun et chacune faisaient quand Luc est arrivé. Travaillez en équipes de deux.

Quand Luc est arrivé...

- _____
- _____
- _____
- _____

- _____
- _____
- _____
- _____

C. Regardez l'image et dites ce que les membres de cette famille faisaient quand la voisine a frappé à la porte. Travaillez en équipes de deux.

Quand la voisine a frappé à la porte...

- _____
- _____
- _____
- _____

- _____
- _____
- _____
- _____

D. Les images ci-dessous décrivent différents aspects de la vie d'une personne. Parlez de la vie de cette personne en utilisant la structure suivante.

> *Quand* + **IMPARFAIT** + **IMPARFAIT**

1. Quand j'étais plus jeune...

- _____   - _____
- _____   - _____
- _____   - _____
- _____   - _____

2. Quand j'allais à l'école...

- _____   - _____
- _____   - _____
- _____   - _____
- _____   - _____

3. Quand j'habitais à Trois-Pistoles...

- _____
- _____
- _____
- _____

- _____
- _____
- _____
- _____

E. Regardez les images et décrivez les actions en utilisant la structure proposée. Travaillez en équipes à l'oral puis à l'écrit.

> _Quand_ + **PASSÉ COMPOSÉ** + **PASSÉ COMPOSÉ**

- _____
- _____
- _____
- _____

- _____
- _____
- _____
- _____

- _____
- _____
- _____
- _____

Objectifs grammaticaux
Alors + passé composé
Le passé composé + *parce que* + imparfait
Comme + imparfait + passé composé
L'imparfait + *alors* + passé composé

Objectifs de communication
Évoquer le résultat d'une action.
Donner une explication.

Raison de plus

A. Complétez les phrases avec une explication, comme dans l'exemple. Utilisez des verbes au passé composé. Dans la colonne de droite, vous trouverez quelques exemples de verbes, la terminaison de leur participe passé ainsi que l'auxiliaire avec lequel ils se conjuguent. Prenez une deuxième feuille de papier au besoin. Inspirez-vous de la structure suivante.

> *Alors* **+ passé composé**

Exemple : Il faisait beau, alors nous **sommes sortis**.

1. La porte était fermée, alors... _____

2. On était fatigués, alors... _____

3. Il pleuvait beaucoup, alors... _____

4. Elle avait mal à la tête, alors... _____

5. Je n'avais pas d'argent, alors... _____

6. On avait faim, alors... _____

7. L'eau était froide, alors... _____

8. Notre chambre n'avait pas de fenêtre, alors... _____

9. Toutes les lignes étaient occupées, alors... _____

10. La douche ne fonctionnait pas, alors... _____

11. Nous n'avions pas son adresse, alors... _____

12. Son numéro n'était pas le bon, alors... _____

13. La nourriture était délicieuse, alors... _____

14. J'étais malade, alors... _____

15. J'avais soif, alors... _____

16. L'ascenseur était en panne, alors… _____

Avec ***être***
sortir / i
partir / i
descendre / u
aller / é
entrer / é
retourner / é
rester / é

Avec ***avoir***
manger / é
commander / é
raccrocher / é
demander / é
changer / é
appeler / é
prendre / is
mettre / is
attendre / u
boire / u
répondre / u

B. Complétez les énoncés à l'aide d'un verbe à l'imparfait, comme dans l'exemple. Utilisez la structure suivante.

Parce que **+ imparfait**

Exemple : Nous **avons commandé** une pizza parce que nous **avions** faim.

1. J'ai demandé son numéro de téléphone parce que... _____

2. On a loué un film parce que... _____

3. Je suis resté à la maison parce que.. _____

4. Nous avons déménagé parce que... _____

5. Ils ont fait un voyage parce que... _____

6. J'ai posé une question au professeur parce que... _____

7. J'ai pris un café parce que... _____

8. J'ai fait du ménage dans la maison parce que... _____

9. J'ai acheté un dictionnaire parce que... _____

10. Je me suis levée de bonne heure parce que... _____

11. Nous n'avons pas attendu nos amis parce que... _____

12. Il a baissé le volume de la radio parce que... _____

13. Je n'ai pas bu de vin parce que... _____

14. Je n'ai pas ouvert la porte parce que... _____

15. J'ai envoyé une lettre parce que... _____

16. Je me suis couché à minuit parce que... _____

C. Remplissez les blancs à l'aide d'un verbe à l'imparfait, comme dans l'exemple. Utilisez la structure suivante.

> ## *Comme* + imparfait + passé composé

Exemple : Comme il **était** en vacances, il **s'est couché** tard.

1. Comme _____ , nous ne sommes pas venus.

2. Comme _____ , nous avons pris un parapluie.

3. Comme _____ , ils ont téléphoné.

4. Comme _____ , j'ai attendu une heure.

5. Comme _____ , j'ai baissé le volume.

6. Comme _____ , j'ai décidé de suivre un cours de français.

7. Comme _____ , j'ai dû appeler un plombier.

8. Comme _____ , nous avons fini par téléphoner.

9. Comme _____ , j'ai fait un peu de ménage.

10. Comme _____ , j'ai acheté du poulet.

11. Comme _____ , vous avez fait faire une autre clé.

12. Comme _____ , ils ont pris la voiture.

13. Comme _____ , je n'ai pas pu sortir de la maison.

14. Comme _____ , nous avons fait un pique-nique au parc.

15. Comme _____ , j'ai invité mes amis à la maison.

16. Comme _____ , je n'ai pas pris de vacances.

17. Comme _____ , je suis allé faire les courses.

18. Comme _____ , j'ai dormi toute la journée.

19. Comme _____ , ils n'ont pas répondu à la lettre.

20. Comme _____ , je lui ai acheté un cadeau.

3

Objectif grammatical
Le passé composé et l'imparfait

Objectifs de communication
Raconter une série d'actions
ponctuelles.
Décrire des personnes et des lieux.

Une semaine au bord de la mer

A. Classez les images en cochant **Action** quand elles expriment l'action principale
ou **Description** quand elles décrivent un lieu, une personne ou un objet.
Pour chaque image, écrivez l'action au passé composé ou la description à l'imparfait
selon le cas, comme dans l'exemple.

Exemple :

Action ☑ / Description ☐

Ils ont pris l'avion.

1.   Action ☐ / Description ☐

_____

2.   Action ☐ / Description ☐

_____

JOUR 1

3.   Action ☐ / Description ☐

_____

4.   Action ☐ / Description ☐

_____

5.   Action ☐ / Description ☐

_____

6.   Action ☐ / Description ☐

_____

7. Action ☐ / Description ☐

8. Action ☐ / Description ☐

9. Action ☐ / Description ☐

10. Action ☐ / Description ☐

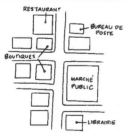

11. Action ☐ / Description ☐

12. Action ☐ / Description ☐

13. Action ☐ / Description ☐

14. Action ☐ / Description ☐

15. Action ☐ / Description ☐

16. Action ☐ / Description ☐

Objectifs grammaticaux

Le passé composé et l'imparfait

Les expressions relatives au temps : *il y avait,*
c'était, il faisait, avant de..., ensuite, après,
le matin, l'après-midi, le soir

Objectif de communication

Parler de ses vacances au passé.

En villégiature

A. D'après les informations données, décrivez la fin de semaine de Leïla et Vincent. Utilisez des verbes au passé composé pour exprimer les actions ; employez des verbes à l'imparfait pour décrire des lieux, des objets ou le temps.

le vendredi 11 juillet
Appeler l'hôtel — confirmer la réservation.
Passer au guichet automatique.

le samedi 12 juillet
1. 11 h. Départ de Montréal — autoroute 20 — soleil.
2. 13 h. Dîner rapide — casse-croûte — toilette.
3. 14 h. Arrivée à Québec : pont Pierre-Laporte — quelques nuages mais du soleil aussi.
4. Visite rapide de la vieille capitale — auto — pas de stationnement — une demi-heure à Québec.
5. Une heure de route — beaux paysages. Arrivée à Baie-Saint-Paul : traversier — paysage magnifique — fleuve très beau.
6. Arrivée à l'île-aux-Coudres : à l'hôtel — chambre pas prête.
7. Bagages hôtel.
8. Randonnée à pied près de l'hôtel : boutiques — photos — café — paysage.
9. Tour de vélo : 2 heures.
10. Baignade dans la piscine de l'hôtel : plaisant — eau froide.
11. Restaurant — menu : homard — très bon — tarte aux bleuets — délicieuse.
12. Promenade au bord du fleuve — coucher de soleil : magnifique.
13. Soirée dansante à l'hôtel.
14. Coucher : minuit.

le dimanche 13 juillet
1. Deltaplane en matinée.
2. Retour à Montréal — pluie.
3. Arrêt sur la route.

Objectifs grammaticaux
L'imparfait, le passé composé, le présent
Avant + imparfait
Mais + passé composé
Maintenant + présent

Objectif de communication
Faire le point sur une situation passée.

Avant, mais maintenant...

A. En équipes de deux, répondez oralement aux questions en suivant les exemples. Puis écrivez vos réponses.

> **A.** *Avant* + **IMPARFAIT**, *maintenant* + **PRÉSENT**

Exemple :
— Nicole est toujours au chômage ?
— Non, ça, c'était **avant**. Avant, elle était au chômage, **maintenant**, elle a un bon travail.
— Ah bon, je ne savais pas.

1. Sylvie **est** toujours célibataire ?

_____

2. Tu **fais** toujours du jogging le matin ?

_____

3. Alors, vous **travaillez** le soir, non ?

_____

4. Tu **prends** toujours le métro pour aller au travail ?

_____

5. Ton fils **est** toujours à Montréal ?

_____

6. Tu **habites** toujours rue Drolet ?

_____

7. Tu **fais** toujours de la cuisine mexicaine ?

_____

8. Tu **prends** tes vacances durant l'hiver, c'est bien ça ?

_____

9. Tu **vas** au cinéma très souvent ?

_____

10. Tu **fais** toujours de la photographie ?

_____

L'imparfait et le passé composé

B. *Avant* + **IMPARFAIT** (situation) / **PASSÉ COMPOSÉ** (explication de la situation)

Exemple
— Simon prend ses vacances avec Tomas ?
— Non, ça, c'était **avant**. Avant, il prenait ses vacances avec Tomas.
— **Qu'est-ce qui** s'est passé ?
— Tomas a quitté le Québec.
— Ah bon, je ne savais pas.

1. Tu **amènes** toujours ta fille au cours de danse ?

_____

2. Vous **allez** toujours au marché Jean-Talon ?

_____

3. Tu **travailles** toujours à temps partiel ?

_____

4. Tu **joues** au tennis près de chez toi ?

_____

5. Tu **vas** toujours au cinéma le mardi ?

_____

6. Vous **prenez** toujours votre verre de lait le matin ?

_____

7. Tu **travailles** toujours comme plombier ?

_____

8. Tes plantes **sont** toujours belles ?

_____

9. Ton chat **mange** toujours de la nourriture Félix ?

_____

10. Tes amis **font** encore de la rénovation dans leur maison ?

_____

C. Avant + IMPARFAIT • mais + PASSÉ COMPOSÉ • maintenant + PRÉSENT

Exemple :
— Pierre travaille toujours au bureau de poste ?
— Non, ça, c'était **avant**. Avant, il travaillait au bureau de poste, **mais** il a changé de travail. **Maintenant**, il travaille chez un concessionnaire.
— Ah bon, je ne savais pas.

1. Les Ayoub **demeurent**-ils à Toronto ?

_____

2. Ta voisine **a** toujours ses trois chats et ses cinq chiens ?

_____

3. Il **faut** envoyer une lettre pour avoir cette information ?

_____

4. Paul **fait** toujours partie d'un orchestre de jazz ?

_____

5. Rémi et Nicole **vivent** toujours dans leur vieille maison ?

_____

6. Nicole **a** un voilier à Sainte-Anne ?

_____

7. Tu **as** toujours ta petite camionnette ?

_____

8. Jérôme **voyage** toujours à Québec pour son travail ?

_____

9. Tu **étudies** toujours le chinois ?

_____

10. Tu **collectionnes** des timbres ?

_____

Objectif grammatical
Le passé composé et l'imparfait

Objectif de communication
Poser des questions.

Rencontre avec Frédéric Back

A. Lisez les trois textes suivants.

1. Biographie d'un artiste exceptionnel

Né le 8 avril 1924, à Sarrebruck, en Allemagne, Frédéric Back développe très jeune un goût particulier pour le dessin. Issu d'une famille d'artistes alsacienne qui l'encourage à développer ses talents, il quitte Strasbourg et s'installe à Paris où il suit des cours d'arts graphiques. Puis, avant la guerre, il déménage en Bretagne. Il perfectionne ses techniques à l'école des Beaux-Arts de Rennes et travaille à l'illustration de livres et à la décoration murale. En 1948, il s'installe à Montréal définitivement. Il enseigne à l'École des Beaux-arts de Montréal et à l'École du meuble, puis il travaille pour la société Radio-Canada dès son ouverture, à la section d'animation.

2. L'homme qui plantait des arbres

Ce film d'animation réalisé par Frédéric Back raconte l'exploit d'un paysan qui plante des arbres dans une région désertique afin de rendre ce bout de pays vert et fertile. Le narrateur est fasciné par le travail du paysan, planteur d'arbre solitaire.
Le succès de *L'homme qui plantait des arbres*, une adaptation du récit écologique de Jean Giono, est important. Le public est touché non seulement par l'histoire exemplaire d'Elzéard Bouffier, mais aussi par la beauté des 20 000 dessins du film. *L'homme qui plantait des arbres* remporte 32 prix.

- Grand Prix et Prix du Public / Festival international du cinéma d'animation d'Annecy, 1987
- Grand Prix / Festival international d'Hiroshima, 1987
- Oscar du meilleur court métrage d'animation / Academy of Motion Picture Arts and Sciences, 1988
- Grand Prix / Festival international d'Ottawa, 1988

Narration : Philippe Noiret
Réalisation : Frédéric Back

3. Simon Durivage, présentateur du *Téléjournal* de Radio-Canada, rencontre Frédéric Back

Simon Durivage — Frédéric Back, notre grand créateur de dessins animés, vient de remporter le premier prix d'animation au Festival d'Annecy, en France, au début de l'été, avec son dernier film *Le fleuve aux grandes eaux*. C'est en quelque sorte la suite de *L'homme qui plantait des arbres*. Cette fois, au lieu de déplorer la disparition des forêts, Frédéric Back s'inquiète de celle de l'eau potable, de l'eau pure, de l'eau qui transmet la vie et il le fait en racontant les cinq derniers siècles de l'histoire du fleuve Saint-Laurent. Nous vous proposons, nous, ce soir de voir comment Frédéric Back a préparé ce film. Il y a passé des jours, des mois, en fait, quatre années, dont trois en solitaire. Aujourd'hui, Frédéric Back et son équipe arrivent à la fin de cette traversée.

Frédéric Back — Au départ, il y a une série d'esquisses, il y a le scénario d'abord, qui est la structure du film lui-même. Ensuite, on décompose. Tout le long du travail, on est obligé d'avoir une vue d'ensemble, mais aussi de diviser les difficultés. Un dessin représente une fraction de millième de l'ensemble du film. Enfin, chaque dessin est important et la qualité de chaque dessin influe sur la qualité de l'ensemble du film.

Simon Durivage — Le cameraman Jean Robillard a créé une approche du tournage qui est au service des dessins de Frédéric Back. Mais si, au tournage, l'image commence à bouger, c'est vraiment au montage que l'image prend vie.
L'étape suivante, c'est le son. La nature, ses sons, ses bruits s'intègrent à une trame sonore réaliste. Au même moment, on ajoute la musique, en harmonie avec les sons réels.
Et puis, enfin, viennent les mots, la narration. Il faut raconter l'histoire, mais aussi y mettre de l'émotion.

Transcription tirée et adaptée de l'émission de Radio-Canada :
http://archives.radio-canada.ca/IDCC-0-16-694-4091/sciences_technologies/voie_maritime_saint-laurent/

B. Voici une série de questions adressées à Frédéric Back. Répondez-y en vous mettant dans la peau de l'artiste et en prenant les informations dans les extraits de textes que vous venez de lire.

1. Combien de dessins avez-vous réalisés pour le film *L'homme qui plantait des arbres* ?

2. Qui vous a inspiré le sujet de *L'homme qui plantait des arbres* ?

3. Quand êtes-vous arrivé au Québec ?

4. Vous avez fait des études dans quel domaine ?

5. Combien de temps vous a-t-il fallu pour réaliser *Le fleuve aux grandes eaux* ?

6. Quelles ont été les étapes de la réalisation du film ?

7. Qui a participé à la réalisation du film ?

8. Vous avez gagné de nombreux prix pour vos films... Quels ont été les plus importants ?

C. Voici une réponse que Frédéric Back aurait pu donner lors d'une entrevue. Composez la question posée par le journaliste, en vous inspirant de l'exemple suivant.

Exemple :

Question — L'écologie vous a toujours intéressé. C'est un sujet toujours présent dans vos films. Comment l'expliquez-vous ?

Réponse — Les causes écologistes ont toujours été au centre de mes préoccupations. J'ai toujours voulu faire des films écologistes. Dans *L'homme qui plantait des arbres*, j'essaie de montrer que la grandeur d'âme de l'homme est capable de faire pousser des forêts. Dans *Le fleuve aux grandes eaux*, je mets l'accent sur le fait que la société industrielle constitue une menace pour la planète.

1. — _____

_____

— Le musicien et compositeur Normand Roger a réalisé un véritable travail de recherche. Il a trouvé les sons même pour des animaux qui n'existent plus. Puis, il a ajouté la musique. Pour le mouvement, c'est la technique de Jean Robillard que nous avons utilisée.

Objectif grammatical	Objectif de communication
Le récit au passé: le passé composé et l'imparfait	Raconter des expériences de voyages.
Les marqueurs de temps	

Récits de voyage

A. Mettez les verbes en caractères gras au passé (passé composé ou imparfait), comme dans l'exemple.

Argentine
Une famille de six en caravane à travers l'Amérique du Sud

Boîte de réception

Supprimer Indésirable Répondre Rép. à tous Réexpédier Nouveau Relever Rechercher

LUNDI 25 AVRIL 2005. Nous **passons** la frontière vers 16 heures, très facilement, non sans remarquer le trafic incessant des Boliviens qui **passent** et (1) **repassent** chargés d'énormes paquets sur leur dos sous les yeux des douaniers. La notion d'espaces immenses qui rime avec Argentine me (2) **frappe** tout de suite ; c' (3) **est** étonnant ce changement de paysage en quelques kilomètres. Grâce au guide, nous (4) **trouvons** un ravissant petit village à côté de la frontière où le temps (5) **semble** s'être arrêté. Nous (6) **dormons** à côté d'une église édifiée par une riche famille espagnole. Les décorations à l'intérieur (7) **sont** entièrement dorées à la feuille d'or. Un bijou ! Découverte aussi d'un désert de sel entouré de montagnes. Nous (8) **hésitons** à refaire encore de la route de montagne, mais nous (9) **sommes** récompensés : le contraste entre le blanc écarlate du sel et le bleu du ciel (10) **est** étonnant.
Petite pause fort sympa juste avant Salta aux « Termas de Reyes », une station thermale dans la montagne.
Nous (11) **nous garons**, pour la nuit, en face d'une piscine d'eau chaude et (12) **prenons** un bain familial à 35 degrés Celsius en plein air (température extérieure de 10 degrés).

Exemple :	avons passé
	passaient

1. _____

2. _____

3. _____

4. _____

5. _____

6. _____

7. _____

8. _____

9. _____

10. _____

11. _____

12. _____

B. Remplissez les blancs en choisissant les verbes appropriés au contexte dans la colonne de gauche. Suivez l'exemple.

considéraient
créaient
durait
était
servait
a fait
avons goûté
avons pu
avons visité
avons vu
nous sommes arrêtés
ont acheté

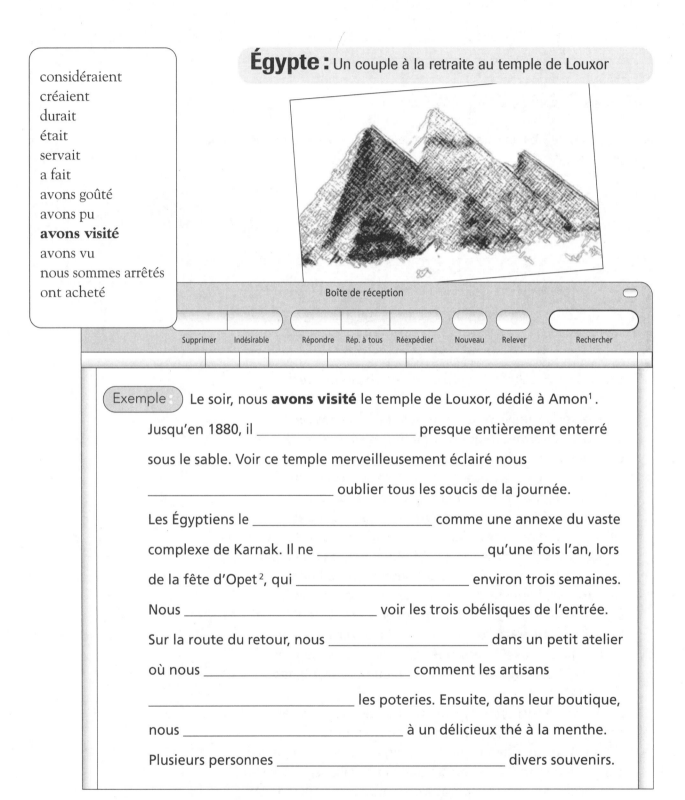

Égypte : Un couple à la retraite au temple de Louxor

Boîte de réception

Supprimer Indésirable Répondre Rép. à tous Réexpédier Nouveau Relever Rechercher

Exemple : Le soir, nous **avons visité** le temple de Louxor, dédié à Amon[1].

Jusqu'en 1880, il _____ presque entièrement enterré

sous le sable. Voir ce temple merveilleusement éclairé nous

_____ oublier tous les soucis de la journée.

Les Égyptiens le _____ comme une annexe du vaste

complexe de Karnak. Il ne _____ qu'une fois l'an, lors

de la fête d'Opet[2], qui _____ environ trois semaines.

Nous _____ voir les trois obélisques de l'entrée.

Sur la route du retour, nous _____ dans un petit atelier

où nous _____ comment les artisans

_____ les poteries. Ensuite, dans leur boutique,

nous _____ à un délicieux thé à la menthe.

Plusieurs personnes _____ divers souvenirs.

1. Principal dieu égyptien sans forme réelle et appelé l'« inconnaissable ».
2. Fête du Nouvel An dans l'Égypte antique ayant lieu lors du début de la crue du Nil.

C. Choisissez les verbes appropriés au contexte dans la colonne de droite, puis remplissez les blancs en conjuguant les verbes au passé composé ou à l'imparfait selon le cas, comme dans l'exemple. Faites les élisions, au besoin.

Question défi : Dans quel(s) cas peut-on utiliser le passé composé à la place de l'imparfait et vice versa ?

Viêt Nam

aller
apprendre
attendre
avoir
cesser
commencer
devoir
être
être
offrir
passer
quitter
se diriger
vouloir

Boîte de réception

Supprimer | Indésirable | Répondre | Rép. à tous | Réexpédier | Nouveau | Relever | Rechercher

Exemple : Comme prévu, **j'ai passé** la journée dans une famille à une

dizaine de kilomètres d'Hô Chi Minh ville. Ils _____

me garder pour la nuit, mais je _____ revenir à cause

du vélo qui _____ devant l'hôtel, attaché à un arbre.

C'est donc avec regret que je _____ cette famille si

sympathique. Avant mon départ, ils me _____ un

bocal de gingembre confit et un de confiseries.

Le lendemain, je _____ me promener dans le village

et mon guide me _____ à jouer aux échecs chinois.

Puis, nous _____ vers la pagode. Devant, il y

_____ une «piscine», une sorte d'étang, en fait. Tout à

coup, il _____ à pleuvoir, comme c'est souvent le cas à

cette période de l'année. Le bruit sur le toit du hall _____

impressionnant. Lorsque la pluie _____,

c'_____ déjà la nuit.

D. Remplissez les blancs à l'aide des expressions de temps de la colonne de droite, comme dans l'exemple. Puis mettez le texte au passé.

Revenons au delta du Mékong. Départ à 8 h 15 dans un bus (climatisé) de 50 places.

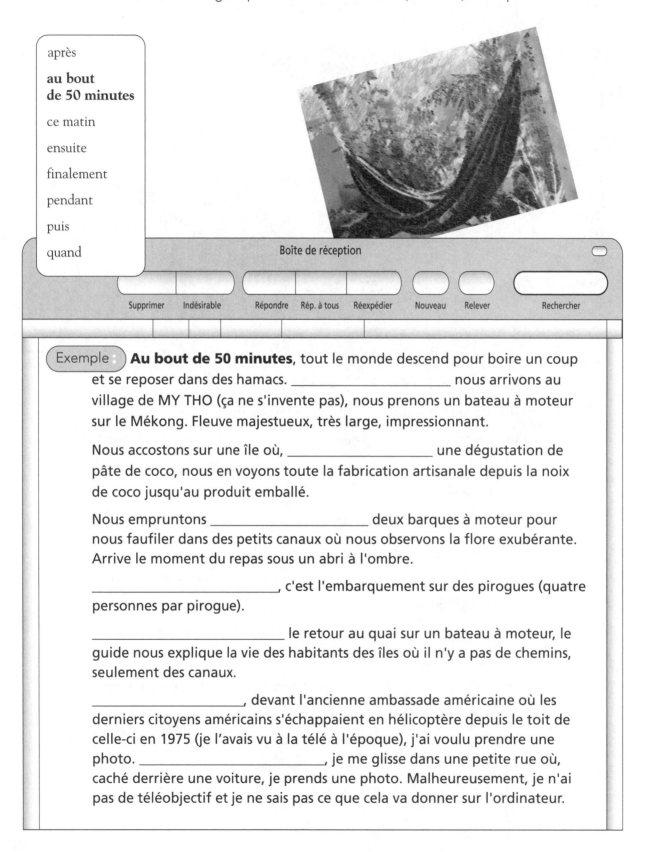

après

au bout de 50 minutes

ce matin

ensuite

finalement

pendant

puis

quand

Boîte de réception

Supprimer Indésirable   Répondre Rép. à tous Réexpédier   Nouveau Relever   Rechercher

Exemple : **Au bout de 50 minutes**, tout le monde descend pour boire un coup et se reposer dans des hamacs. _____ nous arrivons au village de MY THO (ça ne s'invente pas), nous prenons un bateau à moteur sur le Mékong. Fleuve majestueux, très large, impressionnant.

Nous accostons sur une île où, _____ une dégustation de pâte de coco, nous en voyons toute la fabrication artisanale depuis la noix de coco jusqu'au produit emballé.

Nous empruntons _____ deux barques à moteur pour nous faufiler dans des petits canaux où nous observons la flore exubérante. Arrive le moment du repas sous un abri à l'ombre.

_____, c'est l'embarquement sur des pirogues (quatre personnes par pirogue).

_____ le retour au quai sur un bateau à moteur, le guide nous explique la vie des habitants des îles où il n'y a pas de chemins, seulement des canaux.

_____, devant l'ancienne ambassade américaine où les derniers citoyens américains s'échappaient en hélicoptère depuis le toit de celle-ci en 1975 (je l'avais vu à la télé à l'époque), j'ai voulu prendre une photo. _____, je me glisse dans une petite rue où, caché derrière une voiture, je prends une photo. Malheureusement, je n'ai pas de téléobjectif et je ne sais pas ce que cela va donner sur l'ordinateur.

Objectifs grammaticaux

Le passé composé et l'imparfait

Les expressions relatives au temps :
premièrement, ensuite, après, puis,
plus tard, finalement, enfin

Objectifs de communication

Raconter une série d'actions
ponctuelles.

Décrire des personnes et des lieux.

Un vol de banque

A. Regardez les images. Un événement y est présenté par étapes, de façon chronologique.
Parlez de cet événement en utilisant des verbes au passé composé.
Puis, pour chacune des images, écrivez les actions entreprises par les voleurs.

_____

_____

_____

_____

_____

_____

_____

L'imparfait et le passé composé

B. Regardez les images. Des lieux et des personnages en rapport avec le fait que vous venez de raconter y sont présentés. Décrivez-les à l'aide de verbes à l'imparfait. Ensuite, pour chacune des images, décrivez les lieux et les personnes.

![Bande dessinée : banque, voleurs masqués, otages et camion de pizza]

_____

_____

_____

_____

_____

_____

_____

C. Vous êtes la caissière. Vous avez été témoin de ce vol. Racontez l'événement en alternant les verbes au passé composé et à l'imparfait selon qu'il s'agit d'une action ou d'une description. Utilisez les expressions du tableau ci-dessous.

1. ... quand...
2. À ce moment-là,...
3. Vers x heures,...
4. Comme...
5. ... parce que...
6. ... alors...
7. D'abord,...
   Ensuite,...
   Enfin,...
8. Au moment où...
9. Tout à coup,...
   Soudain,...
10. ... mais...

_____
_____
_____
_____
_____

CAPSULE GRAMMATICALE

L'**imparfait** est utilisé pour décrire le cadre d'une action. Les verbes à l'imparfait peuvent apparaître à n'importe quelle place dans le récit.

Exemples :

Il pleuvait.
Marie était fatiguée.
Le chat dormait sur un coussin.

On peut changer l'ordre des phrases dont les verbes sont à l'imparfait.

Exemples :

Marie était fatiguée.
Le chat dormait sur un coussin.
Il pleuvait.

Le récit a toujours du sens.

Le **passé composé** est utilisé pour évoquer une suite d'actions. Les verbes au passé composé doivent se suivre chronologiquement.

Exemple :

Marie a décroché le téléphone.
Elle a appelé sa copine Claire.
Elle a raccroché après 10 minutes.

On ne peut pas changer l'ordre des phrases dont les verbes sont au passé composé sans changer le sens du récit.

Exemple :

Elle a appelé sa copine Claire.
Elle a raccroché après 10 minutes.
Marie a décroché le téléphone.

Le récit n'a plus de sens.

Objectifs grammaticaux
Le passé composé et l'imparfait
La forme passive au passé composé (3e personne)
Les expressions relatives au temps : *en..., vers...,
au début des années..., à la fin des années...*
Avant ça + imparfait

Objectif de communication
Décrire un endroit ou un événement
au passé.

Montréal au fil des ans

Montréal

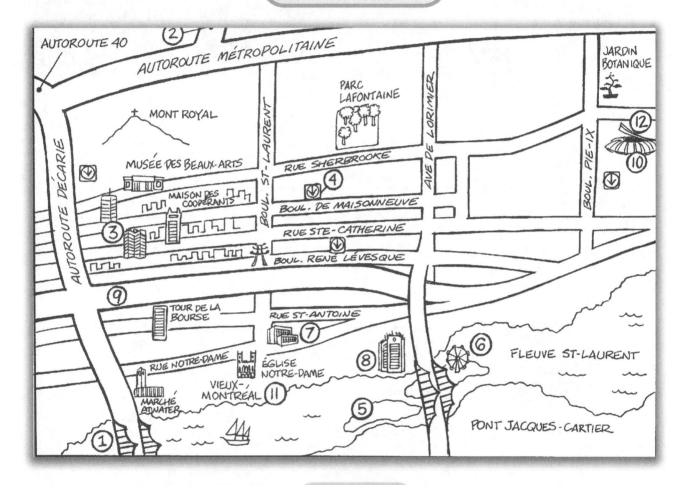

LÉGENDE

1. Pont Champlain
2. Autoroute des Laurentides
3. Place Ville-Marie
4. Métro de Montréal
5. Île Notre-Dame
6. La Ronde

7. Palais de justice
8. Maison de Radio-Canada
9. Autoroute Ville-Marie
10. Stade olympique
11. Premier Festival de jazz
12. Tour du Stade olympique

A. Le tableau suivant comprend des renseignements sur plusieurs sites et activités de la ville de Montréal. À l'aide de ces éléments, décrivez-en différents aspects. Les structures proposées dans l'encadré ci-contre pourront vous être utiles. Travaillez en équipes de deux.

> *Avant* + **IMPARFAIT**... *dans les années...*
> *En 19___,* + **NOM** + *a été* + **PARTICIPE PASSÉ (accordé)**... *pendant les années...* + **IMPARFAIT**
> *En 19___,* + **NOM** + *ont été* + **PARTICIPE PASSÉ (accordé)**... *vers...*

Exemple : L'autoroute Ville-Marie **a été inaugurée** en 1975. **Avant** ça, il n'y **avait** pas de voie rapide au centre-ville.

SITES / ÉVÉNEMENTS	Année	Verbes	Avant	Verbes
Pont Champlain	Années 1950		Pont Victoria, pont Jacques-Cartier, traversier	
Autoroute des Laurentides (première autoroute)	Fin des années 1950		Pas de réseau d'autoroutes	
Place Ville-Marie (un des premiers gratte-ciel de Montréal)	1962		Pas de grands gratte-ciel	
Métro de Montréal	1966	construire ouvrir démolir déménager inaugurer ouvrir créer achever exproprier avoir lieu y avoir disparaître coûter	Transports par autobus et tramway seulement (jusqu'à la fin des années 1950)	se trouver exister jouer prendre se déplacer être situé y avoir être
Île Notre-Dame (création de l'île pour accueillir Expo 67)	1967		Espace occupé par le fleuve	
La Ronde	1967		Parc Belmont (Cartierville)	
Palais de justice	Fin des années 1960		Vieux Palais de justice (à côté)	
Maison de Radio-Canada	1973		Quartier Faubourg-à-la-Mélasse (usine de mélasse au début du siècle), quartier ouvrier	
Autoroute Ville-Marie	1975		Pas d'autoroute souterraine	
Stade olympique (plus d'un milliard de dollars)	1976		Golf municipal, parc de Maisonneuve (plus grand)	
Premier Festival de jazz (dans le Vieux-Port)	1980		Pas de grands festivals	
Tour du Stade olympique (plus de 100 millions de dollars)	1987		Pas de tour d'observation dans ce quartier	

B. Remplissez les blancs en vous référant au tableau de la page précédente.

1. Le Palais de justice _____ à la fin des années 1960.

   Le vieux Palais de justice _____.

2. _____ a été inaugurée en 1973. Le quartier, qui a été

   _____ pour construire le gratte-ciel, _____ ,

   le Faubourg-à-la-Mélasse. _____ un quartier ouvrier.

3. Le premier Festival de jazz _____ 1980. Avant cela,

   _____ à Montréal.

4. Le Stade olympique, qui _____ plus d'un milliard de dollars,

   _____ en 1976, pour les Jeux olympiques

   qui _____ cette année-là. Avant cela, le parc de Maisonneuve

   _____ la place du Stade.

5. Le pont Champlain _____ en 1950.

   Auparavant, _____ : le pont Victoria et le pont Jacques-Cartier.

6. Le métro de Montréal _____ en 1966, juste avant l'exposition

   universelle de 1967.

CAPSULE GRAMMATICALE

1. La forme passive du passé composé est souvent utilisée pour mettre en évidence un élément de la phrase.

Exemple : La Ronde a été inaugurée en 1967.

L'important n'est pas de savoir **qui** a inauguré la Ronde, mais **qu'elle a été inaugurée.**

Forme passive à la 3ᵉ personne

NOM SINGULIER	+ A ÉTÉ	+ PARTICIPE PASSÉ (accordé)
Exemple : La Ronde	a été	inaugur**ée** en 1967.
NOM PLURIEL	+ ONT ÉTÉ	+ PARTICIPE PASSÉ (accordé)
Exemple : Ses ponts	ont été	démolis.

2. L'imparfait est souvent utilisé pour décrire l'état de choses qui existait avant le fait évoqué au passé composé.

Exemple : La Maison de Radio-Canada a été inaugurée en 1973. Avant ça, il y avait un quartier à cet endroit.

Tableau d'entraînement

Tableau **1**

Complétez le tableau avec des verbes au présent, au passé composé ou à l'imparfait, selon le cas.

Présent	Passé composé	Imparfait
Exemple : *Je bois*	*j'ai bu*	*je buvais*
1. nous attendons		
2.	vous avez compris	
3. tu chantes		
4.		ils voyaient
5.	j'ai fait	
6.		je visitais
7. c'est		
8.	nous avons pris	
9.		il répondait
10. il écoute		
11.	tu as été	
12.		il aidait
13.	j'ai mis	
14. nous dormons		
15.	vous avez acheté	
16.		j'aimais
17.	nous avons eu	
18. il conduit		
19.	vous avez vendu	
20.		vous commandiez
21. je lis		

Tableau d'entraînement

Tableau 2

Pour chaque énoncé, conjuguez les verbes de la colonne de droite : l'un au passé composé, l'autre à l'imparfait ou les deux au passé composé ou à l'imparfait, selon le contexte, comme dans l'exemple.

Exemple : Elle *a reçu* le colis qu'elle *attendait*.	attendre / recevoir
1. Marc Antoine _____ l'effet de la lumière sur les rochers quand la caméra _____ à l'eau.	étudier / tomber
2. Je _____ aller à la fête d'adieu de Micheline, mais j' _____ trop malade pour quitter le lit.	être / vouloir
3. Tous les voisins _____ dehors lorsque le feu _____.	commencer / courir
4. Martine _____ l'agenda qui _____ toutes les adresses de ses amis.	retrouver / contenir
5. Le serveur nous _____ des plats qui _____ au menu.	être (nég.) / proposer
6. Quand nous _____ la situation, nous _____ l'immeuble immédiatement.	comprendre / quitter
7. Une fourgonnette _____ un camion qui _____ d'un stationnement.	percuter / sortir
8. L'accident _____ quand je _____ le boulevard Rosemont.	traverser / se produire
9. Un pompier _____ à une jambe alors qu'il _____ dans l'édifice en flammes.	être blessé / travailler
10. Quand la police _____ sur les lieux, les ambulanciers _____ de dégager les occupants de la voiture accidentée.	essayer / arriver
11. Paul_____ ma voiture chez le garagiste, car le moteur _____ de l'huile.	perdre / amener
12. La webcaméra _____, mais François _____ à la réparer.	fonctionner (nég.) / réussir

Tableau d'entraînement

Tableau 3

Mettez les phrases suivantes au discours rapporté au passé comme dans l'exemple, en utilisant le verbe introducteur proposé dans la colonne de droite.

Exemple :	Cristobal aux douaniers : « Je n'*ai* aucun objet métallique dans mon sac. »	Cristobal a déclaré (aux douaniers) qu'il n'avait aucun objet métallique dans son sac.	déclarer
1.	Romina à sa copine : « J'arrive vers 10 heures. »		rappeler
2.	Un scientifique à un journaliste : « Le réchauffement de la planète inquiète la communauté scientifique. »		affirmer
3.	Jack à son patron Michel : « Je pars en vacances samedi. »		annoncer
4.	Stéphanie à Regina : « Pendant l'hiver, je prends des vitamines pour être en forme. »		dire
5.	La patineuse Ilka Brown à un journaliste de Radio-Canada : « Je peux améliorer mes performances. »		soutenir
6.	Le biologiste : « La baleine se nourrit de plancton par filtration d'eau. »		expliquer
7.	Le chef d'entreprise au conseil d'administration : « Nous nous réunissons pour tenter d'éviter la fermeture de l'usine. »		informer
8.	Le vétérinaire : « Un chat boit en moyenne 1 litre d'eau par jour. »		affirmer
9.	Tony à sa copine : « Je vais faire des commissions. »		dire
10.	Le médecin au patient : « Vous devez cesser toute consommation d'alcool. »		indiquer
11.	L'enfant à sa mère : « J'ai les biscuits au chocolat dans ma chambre. »		admettre
12.	Le sportif : « Je fais 200 redressements abdominaux par jour pour garder la forme. »		avouer

Tableau d'entraînement

Tableau **4**

Mettez les deux textes ci-dessous au passé. Utilisez le passé composé ou l'imparfait selon le cas.

Denys Arcand naît à Deschambault en 1941. Sa mère aime les beaux-arts et la musique. Quant à son père, il est capitaine de bateau. Arcand tourne son premier film en 1961, à l'Université de Montréal où il suit des cours d'histoire et de littérature. En 1962, alors qu'il n'a que 21 ans, Arcand commence sa carrière de scénariste-réalisateur à l'Office national du film du Canada où il réalise plusieurs courts métrages sur les origines du Québec et du Canada. Son film *Le déclin de l'empire américain* est un grand succès. *Les invasions barbares*, suite du film précédent, lui permet de gagner plusieurs prix internationaux.	
Céline Dion naît le 30 mars 1968 à Charlemagne, au Québec. Son prénom vient d'une chanson que sa mère chante durant sa maternité. Céline grandit avec la musique tout autour d'elle : sa mère joue du violon et son père de l'accordéon, pendant que les enfants du couple servent aux tables du piano-bar familial. Céline commence à chanter dès l'âge de 5 ans et devient vite une célébrité dans sa ville natale. Quand elle a 12 ans, sa mère communique avec un des imprésarios les plus connus au Québec : René Angélil. Il est si impressionné par la voix de la petite Céline qu'il pleure. Comme il n'a pas d'argent, il hypothèque sa maison pour produire le premier album de la chanteuse.	

6 Le futur simple

TABLE DES MATIÈRES

Page	Tableaux d'entraînement	Objectifs grammaticaux
157	**Tableau 1**	Le futur simple Les marqueurs de temps
158	**Tableau 2**	Le futur simple Les verbes réguliers et irréguliers
159	**Tableau 3**	Le futur simple Les verbes irréguliers
160	**Tableau 4**	Le futur simple de verbes irréguliers Les radicaux et les terminaisons
162	**Tableau 5**	Le futur simple L'hypothèse : *si* + présent, + futur simple
163	**Tableau 6**	Le futur simple La forme passive Les formes affirmative et négative
164	**Tableau 7**	Le futur simple Les formes affirmative et négative Les pronoms personnels
165	**Tableau 8**	Le futur simple Les marqueurs de temps
166	**Tableau 9**	Le futur simple La forme passive Les marqueurs de temps

Tableau grammatical

Le futur simple

A. Formation

1. Verbes en –ER

Radical singulier de l'indicatif présent + terminaison du futur.

Exemple : **je** mange**rai**

Écrite		Prononcée
Je	–RAI	/ re /
Tu	–RAS	/ ra /
Il / elle	–RA	/ ra /
Nous	–RONS	/ rɔ̃ /
Vous	–REZ	/ re /
Ils / elles	–RONT	/ rɔ̃ /

2. Verbes en –IR

Infinitif + terminaisons du futur (sans répéter le **r**).

Exemple : **il** fini**ra**

Écrite		Prononcée
Je	–RAI	/ re /
Tu	–RAS	/ ra /
Il / elle	–RA	/ ra /
Nous	–RONS	/ rɔ̃ /
Vous	–REZ	/ re /
Ils / elles	–RONT	/ rɔ̃ /

3. Verbes en –RE

Infinitif sans E + terminaisons du futur (sans répéter le **r**).

Exemple : **vous** croi**rez**

Écrite		Prononcée
Je	–RAI	/ re /
Tu	–RAS	/ ra /
Il / elle	–RA	/ ra /
Nous	–RONS	/ rɔ̃ /
Vous	–REZ	/ re /
Ils / elles	–RONT	/ rɔ̃ /

4. Exceptions

VRA

Devoir :	DEV	+	–RAI
Recevoir :	RECEV	+	–RAS
			–RA
			–RONS
			–REZ
			–RONT

RRA

Pouvoir :	POUR	+	–RAI
Courir :	COUR	+	–RAS
Mourir :	MOUR	+	–RA
Acquérir :	ACQUER	+	–RONS
Voir :	VER	+	–REZ
Envoyer :	ENVER	+	–RONT

IENDRA

Venir :	VIEND	+	–RAI
Devenir :	DEVIEND	+	–RAS
Tenir :	TIEND	+	–RA
Obtenir :	OBTIEND	+	–RONS
			–REZ
			–RONT

DRA

Vouloir :	VOUD	+	–RAI
Valoir :	VAUD	+	–RAS
			–RA
			–RONS
			–REZ
			–RONT

AURA

Avoir :	AU	+	–RAI
Savoir :	SAU	+	–RAS
			–RA
			–RONS
			–REZ
			–RONT

| Falloir : | FAUD | + | –RA |

* *Falloir* ne se conjugue qu'à la 3ᵉ personne du singulier.

Faire : FE + terminaisons du futur

Exemple   Je fe**rai** les courses.

Être : SE + terminaisons du futur

Exemple   Il se**ra** ici demain soir.

Aller : I + terminaisons du futur

Exemple   Nous i**rons** à Québec.

B. Emploi du futur simple

1. On utilise le futur simple pour exprimer une action à venir, un projet, un désir.

   Exemple   Un jour, l'homme i**ra** sur Jupiter.

2. On utilise le futur simple dans la structure suivante :

   SI   +   PRÉSENT,   +   FUTUR SIMPLE

   Exemple   Si tu manges encore de la crème glacée, tu se**ras** malade.

C. Quelques marqueurs de temps souvent utilisés avec le futur simple

un jour	dans *x* temps	la saison prochaine	tout à l'heure
bientôt	à l'avenir	la semaine prochaine	plus tard
demain	après-demain	après	dans *x* jours
dès + nom	dès que		

Objectif grammatical
Les verbes au futur simple

Objectif de communication
Comprendre et exposer un fait futur.

Quand tu seras là

A. Lisez le texte de la chanson écrite et interprétée par Lynda Lemay ci-dessous. Qui parle à qui ? Rappelez-vous ce que vos parents vous disaient quand vous étiez petit. Discutez-en en équipes.

B. Remplissez les blancs de la chanson en choisissant les verbes les plus appropriés au contexte dans la colonne de droite. Les verbes en gras sont des exemples.

Comme si tu étais moi

> Exemple :
>
> J'te **ferai** des maisons en carton
> Comme on s'faisait quand j'étais petite
> J'te **ferai** lancer de gros ballons
> J't'**achèterai** des balles et des « mites[1] »

On _____ du camping dans ton lit

On se fera une tente avec les draps

Et on _____ à faire comme si tu étais moi

J'te _____ mes vieilles sacoches

Et tu y _____ tes trésors

On _____ de belles roches

Quand on _____ jouer dehors

Je te _____ dessiner des châteaux

Et des princesses aux cheveux longs

Qui _____ de grands chapeaux

Et ton prénom

achèterai
aura
cacheras
collectionnera
donnerai
fera
ferai
ferai
grimpera
ira
jouera
porteront
raconterai
regardera
regarderai
roulera
s'endormira
se couchera
se prendra
sera
voudra

1. Gants de baseball.

On _____ sur le gazon

Et puis, on _____ dans les pentes

J'vais t'enseigner la natation

En mettant ma main sous ton ventre

Un jour, on _____ dans les arbres

Ça fait longtemps que j'veux l'refaire

Et j'te _____ cette fable populaire

On _____ pour des oiseaux

Mais j'te jure qu'on s'fera pas avoir

Comme le célèbre vieux corbeau

Face au renard

On _____ les photos

De moi lorsque j'avais ton âge

« J'te ressemblais comme deux gouttes d'eau »

Que j'dirai en m'pointant l'visage

Des fois, on _____ que tu t'couches

Un peu plus tard que d'ordinaire

Pour voir voler les mouches qui font

De la lumière

Ton père et moi, on _____ pas d'accord

Pour que tu viennes dans le grand lit

Mais on fera de gros efforts

Pour pas dire « oui »

Et on _____ tellement d'remords

En disant « non »

Qu'on _____ le cœur gros

Comme tes ballons...

achèterai
aura
cacheras
collectionnera
donnerai
fera
ferai
ferai
grimpera
ira
jouera
porteront
raconterai
regardera
regarderai
roulera
s'endormira
se couchera
se prendra
sera
voudra

Paroles et musique: Lynda Lemay 1994 « Lynda Lemay »
© 1995 - Disque Wea

Objectifs grammaticaux
Le futur simple
Les marqueurs de temps : *durant la journée,*
pendant la journée, plus tard en matinée,
vers la fin de l'après-midi

Objectif de communication
Faire des prévisions météorologiques.

Météo

A. Soulignez les verbes au futur simple. Puis, dans la colonne de gauche, cochez les réponses qui correspondent aux conditions météorologiques annoncées, comme dans l'exemple.

Hiver

- ☐ du verglas
- ☐ du grésil
- ☐ de la pluie
- ☐ une tempête de neige
- ☑ ciel couvert
- ☐ de la faible neige
- ☐ nuageux
- ☐ des vents forts
- ☐ des vents légers
- ☐ du soleil
- ☐ des températures froides

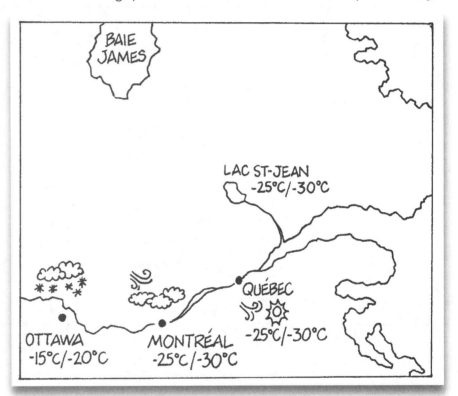

Demain, il **fera** froid sur l'ensemble de la province. Les températures pourront atteindre -30 degrés. Il faudra donc s'habiller chaudement.
Le ciel sera couvert à Montréal et ce sera venteux.
À Québec, ce sera aussi très venteux mais ensoleillé.
Les régions plus à l'ouest recevront un peu de neige en fin de journée.

Quelques expressions de temps fréquentes dans les bulletins de météo :

durant la journée	plus tard en matinée	après-demain
pendant la journée	vers la fin de l'après-midi	cette nuit
dans le courant de la journée	demain (matin, soir, après-midi)	ce soir
en fin de journée		

B. Composez le bulletin météo pour cette journée de printemps à l'aide des éléments ci-dessous. Puis, dessinez les icônes dans la colonne de droite, comme dans l'exemple.

Région de Québec : ensoleillé, ciel dégagé, 5 degrés Celsius

Région de Montréal : ensoleillé, ciel partiellement dégagé, averses dispersées, 7 degrés Celsius

Outaouais : couvert, averses

Abitibi-Témiscamingue : couvert, averses, -5

Grand Nord : -15, ensoleillé

Gaspésie : -3, ensoleillé

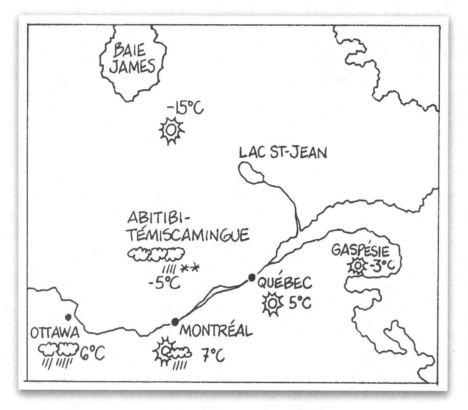

Printemps

Averses	
Chaud	_____
Ciel couvert	_____
Ciel partiellement dégagé	_____
Des rafales	_____
Ensoleillé	_____
Frais	_____

Exemple : La région de Québec sera ensoleillée.

_____

_____

_____

_____

_____

_____

Objectifs grammaticaux
Le futur simple
Les verbes : *je te promets que,*
je te jure que + futur simple

Objectif de communication
Formuler une promesse informelle.

Promesses

A. Colonie de vacances

Claude part en colonie de vacances. Ses parents lui font des recommandations avant le départ. L'enfant leur fait des promesses. Faites parler Claude, en utilisant le futur simple et les expressions proposées dans l'encadré.

Je te / vous promets que...	Tu peux me faire confiance, je...	Je te jure que...
Tu peux être sûr que...	Tu ne dois pas t'inquiéter, je...	Tu as ma parole que...

Promesses et recommandations

Obéir aux moniteurs.
Être sage.
Appeler à la maison deux fois par semaine.
Se brosser les dents avant de se coucher.
Suivre les indications des moniteurs.
Être prudent.
Toujours rester avec le groupe.
Ne pas dire de gros mots.
Être aimable avec les autres enfants.

B. Rémi, un adolescent de 17 ans, emprunte la voiture de ses parents.
Avant de partir, il fait des promesses rassurantes à sa mère. Faites parler Rémi...

PROMESSES
- Ne pas conduire trop vite.
- Ne pas boire d'alcool avant de conduire.
- Être prudent.
- Respecter la signalisation.
- Ne pas prêter la voiture à ses copains.
- Respecter les limites de vitesse.
- Ne pas rentrer trop tard.
- Ne pas prendre plus de quatre passagers.

C. Une adolescente difficile

Olga, une adolescente difficile de 16 ans, fait des promesses à ses parents.
À chaque reproche de son père ou de sa mère, Olga formule une promesse au futur simple,
comme dans l'exemple. Avec un ou une partenaire, écrivez vos réponses puis jouez la scène.

Exemple :

Tu ne fais jamais tes devoirs.
Je vous promets que je **ferai** mes devoirs.

1. Ta chambre est toujours en désordre, tout traîne !

_____

2. Tu t'absentes souvent de l'école et nous ne savons pas où tu vas.

_____

3. Tu prends toujours la voiture sans demander la permission.

_____

4. Tu amènes des amis à la maison et vous videz le réfrigérateur.

_____

5. T'es au téléphone plusieurs heures chaque jour !

_____

6. Tu fais des interurbains, mais c'est nous qui les payons.

_____

7. Tu nous as demandé de t'acheter un abonnement de ski, mais tu n'y vas jamais.
C'est de l'argent jeté par les fenêtres.

_____

8. Tes professeurs se plaignent. Qu'est-ce que tu fais à l'école ?

_____

9. Où sont les vêtements neufs que nous t'avons achetés il y a moins de 15 jours ?

_____

10. Ton travail, à la maison, c'est de tondre le gazon une fois par semaine et de sortir
la poubelle, mais tu ne le fais jamais.

_____

Objectifs grammaticaux

Le futur simple

Les expressions : *nous nous engageons à,*
je vous assure que + futur simple, etc.

Objectif de communication

Formuler une promesse formelle.

Discours de politiciennes et de politiciens

A. Voici quelques déclarations entendues sur la scène politique.
Lisez-les et discutez-en en équipes. Soulignez les verbes au futur ainsi que
les autres éléments indiquant qu'il s'agit d'un fait futur.

Dans un an, nous ramènerons le déficit à zéro.

Si c'est nécessaire, nous investirons dans la recherche.

Je vous assure que, d'ici un an, il n'y aura plus de restrictions
dans les services de santé.

B. À partir des sujets et des verbes ci-dessous, formulez des promesses que des politiciennes et politiciens pourraient faire à l'occasion d'une campagne électorale. Utilisez les expressions suggérées dans l'encadré, comme dans l'exemple.

> Je vous promets que…
> Je vous assure que…
> Je vous jure que…
> Vous pouvez avoir la certitude que…
> Vous pouvez être sûr (sûrs) que…
>
> Vous avez ma parole que…
> Vous pouvez me faire confiance…
> Vous ne devez pas vous inquiéter, je…
> Rassurez-vous, je…
> Je ne *[verbe au futur]* plus…

Exemple : Les taxes **Parti 1 :** Nous réduirons la taxe de vente.

Parti 2 : Nous garderons la taxe de vente, mais il y aura des retours d'impôts pour les plus pauvres.

1.	Les sans-abri	aider
2.	La pollution	améliorer
3.	La défense nationale	augmenter
4.	L'immigration	diminuer
5.	Les services de garde	faire une loi spéciale
6.	Le système scolaire	lutter
7.	Les profits des banques	interdire
8.	Les impôts des particuliers	permettre
9.	Le mariage entre personnes de même sexe	réduire
10.	Le chômage	taxer

5

Objectifs grammaticaux
Le futur simple
Les expressions introduisant le futur :
peut-être, sûrement, je crois que + futur, etc.

Objectif de communication
Parler de l'avenir.

Avenir

A. Lisez les publicités ci-dessous, orientées vers l'avenir. Et vous, avez-vous pensé à ce que vous ferez dans 20 ans ? D'après les sujets proposés, imaginez ce que sera votre vie alors. Utilisez des verbes au futur simple et les expressions que vous trouverez ci-dessous pour décrire des événements potentiels.

Jamais de ma vie
je n'ai été aussi occupé.
Les enfants grandissent
à vue d'œil.
Ma carrière est en plein essor.
J'ai des tas de responsabilités.
Maintenant que j'ai l'argent,
je n'ai plus le temps.
En me couchant le soir,
je me demande :
dans vingt ans,
**quand j'aurai le temps,
aurai-je encore l'argent ?**

Fidelity InvestmentsMD Canada

> **Sujets à discuter**
> enfants • sécurité financière • carrière •
> loisirs • maison • santé • voyages •
> activités sociales • retraite

Il y a vingt-cinq ans, jamais je n'aurais pensé
réussir aussi bien dans la vie.
Les enfants, la maison, la carrière,
et une autre promotion en vue.
Je ne manque de rien, sauf de temps.
Et dans quelques minutes, je reprendrai
ma course contre la montre.
**C'est sûr qu'un jour
je trouverai le temps**
de penser à notre avenir financier.
Dès que j'aurai une minute pour y penser.

Fidelity InvestmentsMD Canada

CAPSULE GRAMMATICALE

Marqueurs de temps	Certitude	Probabilité / possibilité
D'ici là	Je crois que…	Peut-être que…
Dans x temps	Je pense que…	… probablement
Un jour		
Bientôt	Je suis sûr que…	C'est probable que…
Dès que	Je suis certain que…	Je ne sais pas si…
Quand ce sera possible		Je me demande si…
Quand j'aurai le temps	C'est sûr que	
Quand je le pourrai	C'est certain que…	J'espère que…
	C'est évident que…	Je suppose que…
	C'est clair que…	

Objectifs grammaticaux

Le futur simple

Les marqueurs de relation : *premièrement, après ça, ensuite, plus tard,* etc.

Objectif de communication

Planifier les activités d'une journée.

Visite officielle

Le premier ministre visite une usine

A. Vous êtes la ou le relationniste du premier ministre. Vous lui envoyez un courriel en lui annonçant l'emploi du temps et les activités prévues pour la matinée qu'il passera à l'usine Promex. Lisez d'abord ce courriel.

Boîte de réception

| Supprimer | Indésirable | Répondre | Rép. à tous | Réexpédier | Nouveau | Relever | Rechercher |

---

9 heures

Arrivée à l'usine. Déjeuner dans la grande salle.

Employés de l'usine présents.

Table du premier ministre et du directeur de l'usine, au centre.

Mot de bienvenue prononcé par le directeur de l'usine.

10 heures

Départ du premier ministre accompagné du directeur de l'usine.

Une voiture attend devant la porte.

Déplacement vers les installations de l'usine (15 minutes).

10 heures et demie

Visite des installations. Échanges avec les ouvriers.

Inauguration d'un nouveau bâtiment industriel.

Allocution du premier ministre.

11 heures et demie

Dîner.

B. Puis, oralement, expliquez à votre patron le plan pour la journée.

Objectif grammatical
Le futur simple

Objectif de communication
Faire une prédiction.

Horoscopes

A. Associez un élément de la colonne de gauche à l'élément équivalent de la colonne de droite. Inscrivez la lettre appropriée dans chacune des cases.

1. En affaires, on n'admettra de vous aucune erreur.

2. Aujourd'hui, vous serez attiré par des personnes qui voyagent beaucoup.

3. Les astres continueront à vous sourire.

4. Certaines rencontres seront bénéfiques à court terme.

5. Un ami vous adressera des reproches justifiés.

6. Au travail, vous n'hésiterez pas à affronter ceux qui s'opposent à vous.

7. Au travail, de nombreuses relations vous aideront dans vos projets.

8. Sur le plan familial, vos proches seront particulièrement exigeants.

9. En amour, vous serez appelé à faire les premiers pas en vue d'une réconciliation.

10. Un nouveau contrat vous comblera d'aise.

11. Au travail, votre horaire sera chargé.

12. Au foyer, on vous offrira un cadeau que vous n'attendiez pas.

13. Vous serez submergé par les invitations de toutes sortes.

14. Vous aurez à vous montrer vigilant en affaires.

15. Vous commencerez un travail intéressant.

16. Les voyages d'affaires vous seront profitables.

Adapté de la chronique Horoscope de *La Presse*.

a) Il serait bon d'investir dans les voyages d'affaires.

b) Vous serez comblé par les étoiles.

c) Vous travaillerez de longues heures.

d) Vos relations vous seront utiles au travail.

e) Vous vivrez des situations exigeantes à la maison.

f) Vous recevrez un cadeau d'un être cher.

g) Vous signerez un contrat avantageux.

h) Vous recevrez beaucoup d'invitations.

i) Vous rencontrerez des personnes qui voyagent beaucoup.

j) Vous aurez des ennuis avec un ami.

k) En affaires, vous devrez être attentif.

l) Vous ne pourrez pas faire d'erreurs en affaires.

m) Vous devrez faire des efforts pour arriver à une entente avec votre partenaire.

n) Au travail, vous devrez faire face à vos opposants.

o) Vous ferez des rencontres qui rapporteront dans un avenir rapproché.

p) Votre carrière connaîtra un nouveau départ intéressant.

B. Complétez les horoscopes suivants à l'aide de verbes au futur simple.

1. Vous _____ des moments de grand bonheur.

2. Dans les jours qui viennent, vous _____ un cadeau inattendu.

3. En amour, vous _____ une rencontre passionnée.

4. Vous _____ à une importante réunion d'affaires.

5. La chance _____ de votre côté si vous jouez.

6. Vous _____ une personne qui vous _____
   amour et argent.

7. Au travail, vous _____ une promotion.

8. En affaires, la semaine _____ favorable.

9. Vous _____ de la chance cette semaine.

10. Vous _____ fatigué ce mois-ci. Prenez une bonne semaine de vacances.

11. Au travail, vos collègues vous _____ dans une situation difficile.

12. Votre vie affective _____ comblée.

13. Vous _____ une lettre de l'étranger porteuse de bonnes nouvelles.

bélier	taureau	gémeaux	cancer	lion	vierge	balance	scorpion	sagittaire	capricorne	verseau	poissons

C. En équipes, jouez à prédire l'avenir d'une ou plusieurs personnes de votre classe dans les domaines suivants : amour, chance, santé, affaires, argent, enfants, surprise, travail, études. Composez des horoscopes, puis lisez-les devant la classe.

_____

_____

_____

_____

_____

_____

_____

_____

Objectifs grammaticaux
Le futur simple
L'hypothèse : *si* + présent, + futur simple

Objectif de communication
Exprimer une relation de cause à effet.

Voyages

A. Voici trois formules de voyages de deux semaines. Une agente de voyages explique ces différentes options à des clients. Vous jouez le rôle de l'agente de voyages. Essayez d'utiliser le plus d'hypothèses possible, comme dans l'exemple.

Exemple : Si vous allez en Europe, vous devrez sans doute louer une voiture.

Voyage au bord de la mer

· Hôtel 4 étoiles
· Possibilité de louer une voiture
· Possibilité de visiter des sites archéologiques
· Formule « tout compris »
· Sports nautiques (voile, bateau, planche à voile, moto-marine)
· Spectacles en soirée

VOYAGE EN EUROPE
• Prague - Rome – Paris
• Hôtels 3 étoiles en moyenne
• Petit déjeuner compris
• Repas non compris
• Possibilité de louer une voiture
• Prix des visites compris

Le tour du Québec
▪ Auberges champêtres (confort et charme)
▪ Sites enchanteurs
▪ Repas gastronomiques
▪ Contact avec la nature
▪ Activités de plein air (bicyclette, sports nautiques, randonnées pédestres)
▪ Idéal pour se reposer

B. Complétez les phrases hypothétiques suivantes à l'aide de verbes au présent ou au futur simple.

1. Si vous choisissez l'Europe, vous _____ trois villes.

2. Si tu _____, tu pourras prendre beaucoup de soleil.

3. Si nous faisons le tour du Québec, nous _____ dans des auberges champêtres.

4. Si nous voyageons la nuit, _____ de bonne heure.

5. Si on prend un hôtel 2 étoiles, _____ moins cher.

6. Si _____, on devra apprendre quelques mots de tchèque.

7. Si _____, on devra payer nos déplacements.

8. Si nous avons trop de bagages, _____ à l'aéroport.

9. Si nous amenons les enfants, _____ deux semaines.

10. Si vous _____ seul, _____
la chambre d'hôtel.

Tours organisés : avantages et désavantages

C. Dans le tableau ci-dessous, on fait état des avantages et des désavantages des tours organisés. En équipes, discutez-en. Expliquez-les à une personne qui partira en voyage bientôt. Utilisez des phrases hypothétiques construites selon la structure suivante.

> **Si + PRÉSENT, + FUTUR SIMPLE**

Avantages

- Les voyageurs ne s'occupent de rien. Tout est prévu : transport des valises, transferts à l'aéroport, restaurants, réservations d'hôtel.
- Un guide parlant la langue du pays sert d'interprète.
- Le guide explique les aspects historiques des sites visités.
- Dans certains pays asiatiques, le fait d'être accompagné d'un guide représente un avantage.
- Le coût est moins élevé (les tarifs de groupe sont plus économiques que les tarifs individuels).
- Les itinéraires comprennent les visites essentielles. Les voyageurs ne perdent pas de temps.
- Le passage des frontières se fait plus facilement.

Désavantages

- Les voyageurs passent trop d'heures assis dans un autocar.
- Le guide peut devenir un agent de police.
- L'horaire est chargé.
- Les voyageurs visitent beaucoup d'endroits en peu de temps.
- Les voyageurs doivent suivre le groupe.
- Ils ne peuvent pas, par exemple, s'attarder dans un endroit qu'ils trouvent intéressant.
- Un voyageur seul doit partager sa chambre avec un autre voyageur.

CAPSULE GRAMMATICALE

Le futur simple est souvent utilisé pour exprimer une relation hypothétique de cause à effet selon la structure suivante :

Si + PRÉSENT, + FUTUR SIMPLE
FUTUR SIMPLE, + si + PRÉSENT

Exemples :

Si tu ne fais pas de réservation, tu n'auras pas de bons sièges dans l'avion.
Si nous choisissons les Caraïbes, nous irons en Guadeloupe.

Objectif grammatical
Le futur simple

Objectif de communication
Rapporter une nouvelle au futur.

Nouvelles

A. Vous êtes annonceur à la radio. Rédigez les nouvelles que vous lirez ensuite en ondes d'après les éléments d'information donnés. Utilisez des verbes au futur simple.

Dans 10 jours	**D'ici à l'automne prochain**	**Dès le printemps prochain**
• Prix du stationnement public au centre-ville = 1 $ pour 15 minutes. Stationnements intérieurs. Maintenant de 9 $ à 12 $ par jour au maximum. Nouveaux tarifs, de 13 $ à 16 $ par jour.	• Deux voies de gauche réservées au covoiturage. Heures de pointe (7 h à 9 h et 16 h à 18 h). Autres automobilistes (voies de droite).	• Entrée du Casino de Montréal interdite aux moins de 21 ans. Aussi : interdiction de boire de l'alcool dans le Casino.

1. _____
_____
_____
_____
_____
_____
_____
_____
_____
_____
_____

2. _____
_____
_____
_____
_____
_____
_____
_____
_____
_____
_____

3. _____
_____
_____
_____
_____
_____
_____
_____
_____
_____
_____

Dans trois jours

- Paul McCartney en visite au Canada (Maritimes) pour manifester contre la chasse aux phoques.
  Rencontres avec des groupes environnementaux opposés à la chasse aux phoques.

En 2015

- La NASA prête pour Pluton. Lancement de la sonde spatiale *New Horizons* (le mois prochain) à destination de Pluton.
  Arrivée de la sonde sur Pluton : 2015.

Cet hiver

- Service de collecte des déchets payant. Système de poids.
  1 kg de déchets = 2 $.
  Bacs de recyclage disponibles.
  Types de produits : verre, papier, plastique.

4. _____

_____

_____

_____

_____

_____

_____

_____

_____

_____

_____

_____

5. _____

_____

_____

_____

_____

_____

_____

_____

_____

_____

_____

_____

6. _____

_____

_____

_____

_____

_____

_____

_____

_____

_____

_____

_____

Tableau d'entraînement

Tableau **1**

Complétez le tableau à l'aide d'une expression relative au temps ou d'un énoncé au futur simple, comme dans l'exemple.

Exemple :	*Demain,*	il y *aura* une tempête de neige.
1.		à partir de la semaine prochaine.
2.	Dans deux jours,	
3.		nous aurons une nouvelle voiture.
4.		le mois prochain.
5.	Je le finirai sûrement	
6.		tous les produits radioactifs seront détruits.
7.	Les enfants pourront jouer librement sur ce terrain	
8.		dès l'automne prochain.
9.	À la fin du mois de juin,	
10.	Dès le mois d'août,	
11.		la compagnie recevra des candidatures.
12.	Nous irons en Chine	
13.		la NASA installera une base permanente sur Mars.
14.	Le réchauffement de la planète s'accélèrera	
15.		à la fin de l'automne.
16.	Dans quelques années,	
17.		nous déménagerons.

Tableau d'entraînement

Tableau **2**

Transformez les phrases suivantes en utilisant les verbes en caractère gras conjugués au futur simple, comme dans l'exemple.

Exemple : *Pourrais-tu dire à Nicolas de venir ce soir ? Tu diras à Nicolas de venir ce soir.*

1. Pouvez-vous **finir** ce rapport avant la semaine prochaine ? _____
    _____.

2. Auriez-vous l'amabilité de **fermer** à clé en partant ? _____
    _____.

3. Peux-tu me déposer au métro Berri-UQAM ? _____
    _____.

4. **Laisse**-moi les clés sur la table avant de partir. _____
    _____.

5. Voici les devoirs à **faire** pour lundi. _____
    _____.

6. Peux-tu **passer** chez Nathalie ce soir ? _____
    _____.

7. Ces patins sont vieux! Tu peux t'**acheter** une nouvelle paire de patins l'hiver prochain.
    _____.

8. Pourriez-vous m'**appeler** à l'heure du midi ? _____
    _____.

9. Aurais-tu la gentillesse de **donner** ce message à Pierre avanr de partir ? _____
    _____.

10. **Ferme** toutes les lumières, s'il te plaît. _____
    _____.

11. Pas de problème, tu peux me **rembourser** un autre jour. _____
    _____.

Tableau d'entraînement

Tableau **3**

Complétez le tableau en conjuguant au futur simple les verbes donnés dans la colonne de gauche.
Dans la colonne de droite, écrivez le radical de chaque verbe. Suivez l'exemple.

Verbes	Futur simple	Radical du verbe + term. du futur
Exemple : *venir*	*je viendrai*	*viend + rai*
1. faire	nous	
2. recevoir	tu	
3. courir	ils	
4. tenir	vous	
5. falloir	il	
6. pouvoir	vous	
7. envoyer	il	
8. être	elle	
9. voir	je	
10. mourir	ils	
11. obtenir	elles	
12. savoir	tu	
13. devoir	vous	
14. avoir	j'	
15. retenir	nous	
16. revoir	on	
17. vouloir	vous	
18. aller	nous	
19. revenir	ils	
20. devenir	je	

Tableau d'entraînement

Tableau **4**

Classez les verbes suivants en quatre catégories d'après leur radical et leurs terminaisons. Indiquez la forme de l'infinitif dans chaque cas. Suivez l'exemple.

nous irons	vous connaîtrez	nous recevrons	nous servirons
vous écouterez	il pourra	je raconterai	je me coucherai
ils viendront	je dormirai	vous vous reposerez	vous visiterez
j'apprendrai	nous ouvrirons	tu entendras	**vous arriverez**
tu sortiras	je me plaindrai	je peindrai	nous obtiendrons
elle mettra	tu te renseigneras	nous courrons	**il saura**
il pleuvra	elle comprendra	tu assisteras	**tu boiras**
je ferai	il faudra	elle aura	il verra

1. verbes irréguliers		2. –re	
Verbe au futur	**Verbe à l'infinitif**	**Verbe au futur**	**Verbe à l'infinitif**
Exemple : *il saura*	*savoir*	*tu boiras*	*boire*

3. –er		4. –ir	
Verbe au futur	**Verbe à l'infinitif**	**Verbe au futur**	**Verbe à l'infinitif**
Exemple : *vous arriverez*	*arriver*	*tu sortiras*	*sortir*

Tableau d'entraînement

Tableau **5**

Complétez le tableau en utilisant la structure suivante, comme dans l'exemple.

si + présent, + futur simple

Exemple :	Si vous ***voyagez*** avec nous,	vous ***économiserez*** de l'argent.
1.	Si tu prends la voiture au lieu de l'avion,	
2.	Si vous nous faites confiance,	
3.		vous ferez un voyage de rêve.
4.		nous irons tout seuls.
5.	Si quelque chose arrive,	
6.		tu ne devras pas attendre.
7.		tu devras patienter.
8.	S'il fait beau,	
9.		je t'appellerai avant.
10.	Si vous ne l'essayez pas,	
11.		nous ne ferons pas de rénovations.
12.	Si je prête mon auto à Marc,	
13.		nous préparerons un gâteau.
14.	S'il pleut,	
15.		il lui dira la vérité.
16.		vous ferez une bonne affaire.
17.	S'il fait trop froid,	
18.		j'essaierai la motoneige.
19.	Si j'ai le temps,	
20.	Si nous achetons un écran plat,	

Le futur simple
La forme passive
Les formes affirmative et négative

Tableau d'entraînement

Tableau **6**

Complétez le tableau à l'aide de l'élément manquant (le sujet, l'auxiliaire *être* à la forme affirmative ou négative, le participe passé ou un marqueur de temps), comme dans l'exemple.

Sujets	Auxiliaires	Participes passés	Marqueurs de temps
Exemple : *Les permis de conduire*	*ne seront pas*	*renouvelés*	*cette année.*
1.	sera	annoncée	ce soir.
2. Les détenus		transférés	
3. Les candidats			cette année.
4.	seront	appelés	dès le mois prochain.
5. Le service téléphonique		interrompu	entre 16 h et 17 h demain.
6. Les réponses			dans les prochains jours.
7. Votre compte		ajusté	le plus vite possible.
8. Certaines rues de Montréal			pendant le Festival de jazz.
9.	sera	mise en vente	
10. Le dépôt	sera		le dernier jour.
11. Les ordures ménagères ne		pas ramassées	lundi prochain.
12. Le suspect ne		pas interrogé	avant demain.
13. Les dirigeants		convoqués	
14. Un nouveau stade			l'année prochaine.
15. Le nouveau complexe olympique			dans cinq ans.

Tableau d'entraînement

Le futur simple
Les formes affirmative et négative
Les pronoms personnels

Tableau **7**

Complétez le tableau à l'aide d'un verbe conjugué au futur simple soit à la forme affirmative, soit à la forme négative, comme dans l'exemple.

Forme affirmative	Forme négative
Exemple : *Nous l'essaierons.*	*Nous ne l'essaierons pas.*
1.	Vous ne l'inviterez pas.
2. Je me renseignerai.	
3.	Je ne le lui dirai pas.
4. Tu l'appelleras.	
5. Vous vous reposerez.	
6.	Ils ne conduiront pas.
7. Elle la vendra.	
8. Nous t'écrirons.	
9. On leur téléphonera.	
10.	Je ne vous enverrai pas la copie.
11.	Ils ne vous inviteront pas.
12. On se présentera.	
13. Je me plaindrai.	
14.	Nous ne nous informerons pas.
15.	Tu ne me donneras pas son numéro.
16. Nous le ferons.	
17. Vous me ferez signe.	
18.	On ne se sentira pas mal à l'aise.
19. Je te tiendrai au courant.	
20. Il s'amusera.	

Tableau d'entraînement

Tableau **8**

Complétez les affirmations suivantes à l'aide des réponses de la colonne de droite.
Remplacez l'expression de temps par une expression de la colonne du milieu,
puis conjuguez les verbes entre parenthèses au futur simple, comme dans l'exemple.

Exemple : *Cet hiver,* nous sommes restés à Montréal,
mais *l'hiver prochain* nous *irons en vacances.*

1. Dimanche passé, nous avons fait une promenade
dans le bois, mais _____
_____

2. L'année passée, je me suis inscrit à un cours
de chinois mandarin, mais _____
_____

3. La fin de semaine passée, il a reçu ses amis, mais _____
_____

4. L'automne dernier, nous avons loué un chalet, mais _____
_____

5. Le mois passé, nous avons acheté une carte
mensuelle de transport, mais _____
_____

6. Vendredi passé, on est allés au théâtre, mais _____
_____

7. À Pâques, nous avons visité la parenté au Mexique,
mais _____
_____

8. La semaine passée, on s'est réunis dans la salle B,
mais _____
_____

dans X jours
•
dans X mois
•
dans X heures
•
le mois prochain
•
l'année prochaine
•
l'été prochain
•
l'hiver prochain
•
vendredi prochain
•
l'automne prochain
•
la fin de semaine
prochaine
•
la semaine
prochaine
•
à Noël, à Pâques,
etc.

rester à l'hôtel
•
aller en vacances
•
rendre visite aux
amis de Nicolas
•
suivre un cours
de japonais
•
visiter la ville
de New York
•
réserver la salle C
•
aller au cinéma
•
utiliser le vélo
•
faire une
promenade
en ville

Le futur simple
La forme passive
Les marqueurs de temps

Tableau d'entraînement

Tableau 9

Composez des titres de journaux en combinant le début d'énoncé de la colonne de gauche, avec un verbe conjugué au futur simple de la colonne du milieu et une expression de temps de la colonne de droite, comme dans l'exemple.

1. Le taux de chômage	augmenter	dans 15 jours
2. Les parcs de Montréal	avoir lieu	d'ici la fin de semaine prochaine
3. Les exportations canadiennes	**baisser**	**le mois qui vient**
4. La température	diminuer	dans les jours qui viennent
5. Un congrès international sur la santé	être banni	l'été prochain
6. Les armes à feu	être éliminé	en l'an 2020
7. Les émissions télévisuelles violentes	être fermé	prochainement
8. Les bibliothèques	être inauguré	en fin de semaine
9. Le taux de natalité au Québec	être interdit	l'année prochaine
10. Une nouvelle ligne de métro	être nettoyé	dans quelques semaines
11. Les déchets nucléaires	être ouvert	
12. Le commerce par Internet	être publié	
	être réglementé	

Exemple : *Le taux de chômage baissera le mois qui vient.*

1. _____
2. _____
3. _____
4. _____
5. _____
6. _____
7. _____
8. _____
9. _____
10. _____
11. _____

 **Les pronoms personnels compléments**

TABLE DES MATIÈRES

Page	Activités	Objectifs grammaticaux	Objectifs de communication
184	7. **Halloween**	Les pronoms *l'*, *le*, *la*, *les* Le présent Le verbe auxiliaire + pronom + verbe à l'infinitif	Organiser une fête.
186	8. **Colocataires**	Les pronoms *l'*, *le*, *la*, *les* Le pronom *lui* Le présent Le verbe auxiliaire + pronom + verbe à l'infinitif Les formes affirmative et négative	Répondre aux questions d'un sondage.
188	9. **Vivre avec le voisinage**	Les pronoms *l'*, *le*, *la*, *les*, *leur*, *me*, *nous*, *vous*, etc. Le présent Les formes interrogatives, affirmative et négative	Parler des relations de voisinage.
192	10. **À l'occasion de...**	Les pronoms *l'*, *le*, *la*, *les*, *lui*, *leur* Les verbes à l'impératif + pronom	Faire une suggestion.
195	11. **États d'âme**	Les pronoms *l'*, *le*, *la*, *les*, *me*, *te*, *lui*, *leur*	Exprimer des sentiments, des réactions.
196	12. **De qui est-il question ?**	Les pronoms *l'*, *le*, *la*, *les* remplaçant des personnes Les auxiliaires modaux L'infinitif Les formes affirmative et négative	Répondre à une demande d'information.
198	13. **À l'école des chiots**	Les pronoms *l'*, *le*, *la*, *les*, *lui*, *leur*, *nous*, *vous*, *me*, *te*	Exposer un problème par courriel.

Page	Tableaux d'entraînement	Objectifs grammaticaux
200	Tableau 1	Les pronoms personnels Les pronoms *l'*, *le*, *la*, *les* Le présent Le futur proche Les formes affirmative et négative
201	Tableau 2	Les pronoms personnels Les pronoms *l'*, *le*, *la*, *les*, *lui*, *leur* L'infinitif Les formes affirmative et négative
202	Tableau 3	Les pronoms personnels Le pronom *en* Le présent Les formes affirmative et négative
203	Tableau 4	Les pronoms personnels Le pronom *en* Le présent Les formes interrogatives, affirmative et négative
204	Tableau 5	Les pronoms personnels Le pronom *en* Le passé composé Les formes affirmative et négative
205	Tableau 6	Les pronoms personnels Les pronoms *l'*, *le*, *la*, *les*, *lui*, *leur* Le présent Les formes affirmative et négative
206	Tableau 7	Les pronoms personnels Les pronoms *me*, *te*, *vous* Le futur proche Le passé composé Les formes affirmative et négative
207	Tableau 8	Les pronoms personnels Les pronoms *l'*, *le*, *la*, *les*, *lui*, *leur* L'impératif Les formes affirmative et négative

Page	Tableaux d'entraînement	Objectifs grammaticaux
208	Tableau 9	Les pronoms personnels Les pronoms *me, nous, moi* L'impératif Les formes affirmative et négative
209	Tableau 10	Les pronoms personnels Les pronoms *l', le, la, les, moi, lui, leur* L'impératif Les registres du français standard et du français oral familier
210	Tableau 11	Les pronoms personnels Les pronoms *l', le, la, les, lui, leur* Le passé composé Les formes affirmative et négative
211	Tableau 12	Les pronoms personnels Les pronoms *l', le, la, les* L'impératif L'infinitif Les formes affirmative et négative

Tableau grammatical

A. Les pronoms personnels

1. Les pronoms compléments, directs et indirects

CD	CI
me, m' (moi)	me, m' (moi)
te, t' (toi)	te, t' (toi)
se, s'	se, s'
le, la, l'	lui
nous	nous
vous	vous
les	leur

2. Compléments (3ᵉ personne)

CD remplacés par *EN*

Introduits par :

un déterminant partitif
(du, de la, des)

un déterminant quantifiant
(beaucoup de, un peu de,
un kilo de, etc.)

un déterminant indéfini
(un, une, des)

un déterminant indéfini
(quelques, plusieurs, etc.)

Exemples :

Je prends **du** thé.	J'**en** prends.
Je veux **un kilo** de sucre.	J'**en** veux un kilo.
J'ai **une** voiture.	J'**en** ai une.
J'ai **quelques** amis.	J'**en** ai quelques-uns.

CD remplacés par *LE, L', LA, LES*

Introduits par :

un déterminant défini (le, la, les)
un déterminant possessif
(mon, ton, son, etc.)
un déterminant démonstratif
(ce, cet, cette, ces)

Exemples :

Je lave **les** vêtements.	Je **les** lave.
Tu prends **mon** vélo.	Tu **le** prends.
Il veut **cette** cravate.	Il **la** veut.

CI remplacés par *Y*

Introduits par :

une préposition (à, chez)

Exemples :

Je vais **à** la poste.	J'**y** vais.
Nous allons **chez** Jean Coutu.	Nous **y** allons.

3. Place des pronoms personnels

a) Un seul verbe : PRONOM + VERBE

Forme affirmative	Forme négative	Forme interrogative
Je **les vois**.	Je ne **les vois** pas.	**Les vois**-tu ?

b) Un verbe à l'infinitif : PRONOM + VERBE À L'INFINITIF

Forme affirmative	Forme négative	Forme interrogative
Je vais **les faire**.	Je ne vais pas **les faire**.	Vas-tu **les faire** ?

c) Un verbe composé : PRONOM + VERBE (auxiliaire + participe passé)

Forme affirmative	Forme négative	Forme interrogative
Il **l'a** vu.	Il ne **l'a** pas vu.	**L'a**-t-il vu ?

d) Verbe à l'impératif

Forme affirmative	Forme négative
VERBE + PRONOM	PRONOM + VERBE
Donne-**moi**	Ne **me** donne pas
Lève-**toi**	Ne **te** lève pas
Prends-**le**	Ne **le** prends pas

B. Catégories de verbes

Verbe + qqch./qqn		Verbe + à qqn	Verbe + qqch. à qqn	Verbe + endroit
acheter	jeter	appartenir	acheter	aller
adorer	laisser	faire mal	apporter	arriver
aider	laver	faire peur	demander	demeurer
aimer	lire	faire plaisir	dire	être
amener	manger	falloir	donner	habiter
appeler	mettre	manquer	écrire	rester
apprendre	nettoyer	mentir	emprunter	vivre
attendre	oublier	obéir	envoyer	
avoir	payer	pardonner	expliquer	
boire	prendre	parler	faire	
chercher	préparer	plaire	interdire	
choisir	quitter	répondre	laisser	
comprendre	regarder	ressembler	lire	
connaître	remplir	sourire	offrir	
déranger	réparer	téléphoner	promettre	
détester	respecter	dire bonjour	proposer	
écouter	réveiller	écrire	raconter	
essayer	saluer	aller	rappeler	
excuser	suivre	être égal	refuser	
faire	trouver	rendre visite	remettre	
finir	utiliser		répondre	
garder	vendre		vendre	
ignorer	visiter		suggérer	
inviter	voir		prêter	

Objectifs grammaticaux
Le pronom *en*
Le présent
La fréquence : *tous les jours, souvent,
rarement, jamais,* etc.
Les quantifiants : *un, une, quelques-uns,
quelques-unes,* etc.

Objectif de communication
Parler des habitudes alimentaires.

À table !

A. Dites à quelle fréquence vous mangez ou buvez les aliments et les boissons ci-dessous. Discutez en équipes de deux ou trois, en vous posant des questions comme dans l'exemple.

Exemple : Mangez-vous du pain tous les jours ? Manges-tu du pain tous les jours ?
J'en mange tous les jours. Non, je n'en mange jamais.

SOLIDES

	Tous les jours	Souvent	Rarement	Jamais
du chocolat	○	○	○	○
des tomates	○	○	○	○
des légumes crus	○	○	○	○
des patates	○	○	○	○
des hot dogs	○	○	○	○
des sandwichs	○	○	○	○
des œufs	○	○	○	○
de la viande	○	○	○	○
des carottes	○	○	○	○
du pain	○	○	○	○
des biscuits	○	○	○	○
des pâtisseries	○	○	○	○
du poulet	○	○	○	○
des croustilles	○	○	○	○
des fruits	○	○	○	○
des légumes cuits	○	○	○	○

LIQUIDES

	Tous les jours	Souvent	Rarement	Jamais
de la bière	○	○	○	○
du chocolat chaud	○	○	○	○
du vin	○	○	○	○
des boissons gazeuses	○	○	○	○
du thé	○	○	○	○
du café	○	○	○	○
de l'eau	○	○	○	○
de la soupe	○	○	○	○
des jus de fruits	○	○	○	○
du thé glacé	○	○	○	○
des tisanes	○	○	○	○
du lait	○	○	○	○
des boissons aux fruits	○	○	○	○
du cognac	○	○	○	○
du whisky	○	○	○	○
du rhum	○	○	○	○

CAPSULE GRAMMATICALE

1. Le pronom *en* remplace les compléments directs (CD) introduits par un partitif.

VERBE	+	CD DU (DE L') DE LA (DE L') DES	+	NOM

2. Le pronom *en* remplace les compléments directs (CD) introduits par un quantifiant.

VERBE	+	une tasse de un morceau de une bouteille de	beaucoup de un peu de une tranche de un paquet de un peu de un verre de	une cuillère de une un plusieurs quelques des	+	NOM

Exemple : Tu prends un verre de lait ? Oui, j'**en** prends un.

3. Les verbes suivants sont souvent utilisés avec le pronom *en* :
acheter, boire, manger, prendre et vouloir.

Objectifs grammaticaux

Le pronom *en*
Les quantifiants : *il y en a un, une, plusieurs, quelques-uns, quelques-unes, il n'y en a pas,* etc.
Les formes affirmative et négative

Objectif de communication

Décrire un lieu.

Cuisine

A. Regardez attentivement l'image de la cuisine ci-dessous et les objets de la page 176.
En équipes de deux, posez-vous des questions pour vérifier si ces objets sont bien à leur place.
Répondez à tour de rôle. Voici les structures que vous devez utiliser.

> Est-ce qu'il y a un, une, des + nom ?
> Oui, il y en a.
> Oui, il y en a un, une.
> Oui, il y en a trois, plusieurs, quelques-uns, quelques-unes.
> Non, il n'y en a pas.
> Non, il n'y en a aucun, aucune.

Décoration et ameublement

des chaises

des cadres

des rideaux

une table

un vaisselier

des stores vénitiens

une horloge

des vases à fleurs

des plantes

Matériel

des verres

des assiettes

des ustensiles

des chaudrons

une passoire

des moules

des bols

un grille-pain

un réfrigérateur

un lave-vaisselle

un tire-bouchon

une cuisinière

un four à micro-ondes

un robot culinaire

un batteur électrique

une cafetière électrique

une balance de cuisine

une louche

une marguerite

des couteaux de cuisine

CAPSULE GRAMMATICALE

Le pronom *en* remplace les compléments directs (CD) introduits par un déterminant indéfini.

VERBE +

| une |
| un |
| des |
| plusieurs |
| quelques |

+ NOM

Exemples :
Tu as une robe de soirée ? J'**en** ai une. Je n'**en** ai pas.
Vous avez plusieurs amis ? Oui, nous **en** avons plusieurs.

3

Objectifs grammaticaux

Le pronom *en*

Le pronom *en* + verbe au présent ou au futur

Le verbe auxiliaire + *en* + verbe à l'infinitif

Objectif de communication

Faire un inventaire.

Au chalet

A. Lorsque vous arrivez au chalet, vous rédigez la liste des choses que vous devez acheter. Regardez l'image et trouvez ce qu'il vous faut. Cochez les articles que vous devez acheter. Travaillez en petits groupes, en utilisant les structures proposées dans l'encadré.

Il y en a plusieurs.	Ça, on n'en a pas besoin.	On en achètera deux ou trois.
Il y en a.	Il faut en acheter.	On va en acheter deux ou trois.
Il n'y en a pas.	On en a besoin.	Il va falloir en acheter.
Ça, on en a.	On en achètera un paquet.	

une lavette
du sel
du poivre
de l'huile
du spaghetti
des briquettes
des verres en plastique
des sacs à ordures
des napperons
des assiettes
des serviettes en papier
des ustensiles
des assiettes
un balai
un seau
du savon
des chandelles
du papier hygiénique
du shampooing
du savon à vaisselle
un tire-bouchon
du papier essuie-tout
des épingles à linge
du savon à lessive
une passoire
une bouilloire électrique
une cafetière électrique
des filtres à café
des mouchoirs en papier

sacs en plastique
savon
chandelles
seau
sucre
papier essuie-tout
passoire
filtres à café

BRIQUET
RIZ

Objectifs grammaticaux

Le pronom *y*

Une fois par semaine, par mois, par année,

souvent, rarement, jamais

Objectif de communication

Parler de faits habituels en

en précisant la fréquence.

Endroits fréquentés

A. Dites à quelle fréquence vous allez aux endroits suivants.

Discutez-en avec un ou une partenaire. Remplacez le nom de chaque endroit par le pronom *y*.

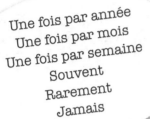

Une fois par année
Une fois par mois
Une fois par semaine
Souvent
Rarement
Jamais

1.	Chez le coiffeur	**7.**	Chez le médecin
2.	À la pharmacie	**8.**	Au cinéma
3.	Au supermarché	**9.**	Au théâtre
4.	À la cordonnerie	**10.**	Chez votre mère
5.	À la boulangerie	**11.**	Chez le dentiste
6.	À la fruiterie	**12.**	Au garage

CAPSULE

GRAMMATICALE

Le pronom *y* remplace un complément introduit par une préposition
(*à*, *chez*) + un endroit.

Exemple : Tu vas souvent au **cinéma** ?

Forme affirmative

Oui, j'**y** vais souvent.

Forme négative

Non, je n'**y** vais pas souvent.

Non, je n'**y** vais jamais.

Environnement

A. En équipes de deux, posez-vous les questions suivantes et répondez-y à tour de rôle.
Remplacez les objets par les pronoms personnels *l'*, *le*, *la*, *les*.

1. Que faites-vous de vos vieux journaux ?

_____

2. Que faites-vous de vos vieux vêtements ?

_____

3. Que faites-vous des contenants en verre déjà utilisés (les pots
de marmelade, les bouteilles) ?

_____

4. Que faites-vous des vieux chiffons ?

5. Que faites-vous de vos contenants en plastique ?

_____

6. Que faites-vous des vieux médicaments ?

_____

7. Que faites-vous des substances toxiques qui doivent disparaître de la maison ?

_____

8. Que faites-vous des appareils ménagers hors d'usage ou trop vieux ?

_____

9. Que faites-vous de vos vieux livres ?

_____

10. Que faites-vous du carton d'emballage des produits que vous achetez ?

_____

11. Que faites-vous des feuilles d'automne ?

_____

Objectifs grammaticaux

Le pronom *le, la, les, l', y, en, lui, leur*
Le passé composé
L'infinitif, l'impératif, le futur simple
Les formes affirmative et négative

Objectif de communication

Discuter à propos d'un objet perdu.

Où sont les passeports ?

A. Complétez ce dialogue entre Annie et Charles à l'aide des pronoms personnels compléments *le, la, les, l', y, en, lui* ou *leur*, selon le cas.

1.

A — Bon, dans deux jours, on sera à Moscou. Je rêve d' _____ aller depuis longtemps !

CH — Oui, justement, tu as les passeports ?

A — Regarde dans ma valise. Tu vas _____ trouver là.

2.

CH — Eh bien, ils ne sont pas là.

A — Comment ça ? C'est là que je _____ ai mis. Je suis allée _____ prendre cet après-midi au Bureau des passeports, puis je _____ ai mis dans ma valise. Après, je suis passée à l'agence prendre les billets.

CH — Les billets sont là, mais pas les passeports. Appelle Monica à l'agence et demande-_____ si tu _____ as laissé les passeports.

A — Oui, je vais _____ demander.

3.

A – Non, j'ai dû ____ mettre ailleurs.

CH – Bon, ce n'est peut-être pas si grave. «T'___ as un autre» : ton passeport français.

A – Oui, mais mon passeport français, il est périmé, je dois ____ renouveler.

CH – Moi, le mien, je ____ ai renouvelé l'an dernier. En tous les cas, tu peux ____ faire assez vite. Tu te souviens de Karl? Il a eu le même problème et le Consulat français ____ a émis un passeport en 24 heures. Sinon, il faut faire une autre demande au Bureau des passeports, à caractère urgent.

A – Bon, j'____ ferai une autre demain matin. Une autre journée de travail perdue. Non, «c'est pas» vrai. Perdre les passeports à cinq jours du départ. C'est bête.

CH – On va trouver une solution.

A – Oui, je vais essayer d'____ trouver une au plus vite.

CH – Bon, en attendant, je sors faire des commissions.

A – Ciao!

CH – Salut.

4.

Une heure plus tard

CH – Coucou, Annie, surprise!

A – Quoi encore?

CH – Les passeports!!!

A – Tu ____ as, non mais je rêve!!!

CH – Je ____ ai trouvés dans la voiture, entre le siège et la portière.

A – Ouf, quelle chance! On est sauvés. Plus de peur que de mal.

CH – Ah!!! La Russie!!!

B. Que s'est-il passé ? Par écrit, résumez la situation.

Objectifs grammaticaux
Les pronoms *l', le, la, les*
Le présent
Le verbe auxiliaire + pronom
+ verbe à l'infinitif

Objectif de communication
Organiser une fête.

Halloween

A. En grand groupe, parlez des activités de préparation d'une fête d'Halloween, en vous inspirant de l'exemple.
Dans le tableau ci-dessous, vous trouverez des activités à faire et des choses à préparer.

> **Exemple :** Il faut acheter le dessert. **Il faut l'acheter.**

acheter	commander	des masques	le concours de costumes
appeler	décorer	des / les ballons	de la musique d'horreur
apporter	organiser	la nourriture	le dessert
arranger	placer	les décorations	la crème glacée
avertir	préparer	les boissons	les grignotines
choisir	prévenir	les assiettes en carton	la trempette
		les invités	les disques compacts
		les voisins	les verres en plastique
		la maison	la nappe
			des crudités

B. En groupes de quatre, choisissez le personnage que vous jouerez, puis discutez avec vos partenaires des tâches à faire pour la préparation de la fête d'Halloween.
Suivez le modèle ci-dessous.

> **Mathilde** — Qui va préparer le dessert ?
> **Ingrid** — Moi, je le fais. C'est moi qui le fais.
> Et des CD ? Quelqu'un peut en apporter ?
> **Mathilde** — J'en ai beaucoup, je vais en apporter.
>
> **Ingrid** — As-tu de la musique d'horreur ?
> **Mathilde** — Oui, j'en ai, t'inquiète pas. Ça va être génial !

INGRID
nappe
grignotines
verres en plastique
dessert

YING
nourriture
assiettes en carton
invités
boissons

LUC
voisins
trempette
maison
ballons

MATHILDE
crème glacée
disques compacts
cassettes
décorations

À faire

1. les voisins
2. les grignotines
3. la trempette
4. la nappe
5. la crème glacée
6. la maison
7. les boissons
8. le dessert
9. les masques
10. les disques compacts
11. les invités
12. les ballons
13. la nourriture
14. les assiettes en carton
15. les verres en plastique
16. les décorations
17. des crudités

Expressions qui expriment la joie, l'enthousiasme :

C'est le « fun » !
Ça va être le « fun » !
Ça va être génial !
C'est une super bonne idée !
Parfait !

Qui va le faire ?

Objectifs grammaticaux
Les pronoms *l'*, *le*, *la*, *les*
Le pronom *lui*
Le présent
Le verbe auxiliaire + pronom + verbe à l'infinitif
Les formes affirmative et négative

Objectif de communication
Répondre aux questions d'un sondage.

Colocataires

A. Sondage : **Êtes-vous un bon ou une bonne colocataire ?**
Deux à deux, posez-vous les questions du sondage et répondez-y à tour de rôle.
Dans vos réponses, concentrez-vous sur les pronoms *l'*, *le*, *la*, *les*, *lui* et essayez de les
intégrer dans la conversation.

1. C'est au tour de votre colocataire de nettoyer la salle de bains, mais le travail n'est pas fait.
a) Vous le faites à sa place.
b) Vous lui dites de le faire.
c) Vous êtes tellement en colère que vous ne lui parlez pas pendant deux jours.

2. Votre colocataire assiste à une réception. Il est trop tard pour prendre le métro et personne ne
peut le / la ramener. Il / elle vous demande de venir le / la chercher. Que faites-vous ?
a) Vous allez le / la chercher.
b) Vous lui suggérez de prendre un taxi.
c) Vous lui dites que votre voiture est en panne.

3. Votre colocataire écoute la radio après 23 heures.
a) Vous lui dites de baisser le volume en lui expliquant qu'il est tard.
b) Vous allez dans sa chambre et éteignez ou confisquez l'appareil.
c) Vous lui faites une scène.

4. Votre colocataire a oublié de descendre la poubelle.

a) Vous la descendez à sa place.

b) Vous lui rappelez ses obligations.

c) Vous la déposez dans sa chambre.

5. Votre colocataire a oublié de vous remettre un message téléphonique.

a) Vous l'excusez.

b) Vous lui faites des reproches.

c) Pendant une semaine, vous ne lui remettez aucun de ses messages.

6. Votre colocataire ne peut pas payer son loyer ce mois-ci.

a) Vous le payez à sa place.

b) Vous lui offrez de travailler pour vous.

c) Vous lui suggérez de quitter l'appartement.

7. Votre colocataire n'a pas entendu le réveil et vous savez qu'il / elle sera en retard.

a) Vous le / la réveillez doucement.

b) Vous le / la laissez dormir. C'est sa responsabilité.

c) Lorsqu'il / elle se lève, vous lui faites un petit sermon sur la ponctualité.

8. Votre colocataire vit une peine d'amour et se confie à vous.

a) Vous l'écoutez attentivement.

b) Vous lui donnez des conseils sans l'écouter vraiment.

c) Vous lui faites la morale.

9. C'est l'anniversaire de votre colocataire.

a) Vous le / la réveillez avec un petit déjeuner au lit.

b) Vous lui donnez une carte de souhaits.

c) Vous l'ignorez.

10. Vous décidez de rompre tout lien de colocation avec votre colocataire.

a) Vous lui annoncez votre décision le moment venu.

b) Vous lui laissez une note dans sa chambre.

c) Vous lui envoyez une lettre pour lui annoncer votre décision.

11. Votre colocataire invite un ami différent chaque soir. Quand l'ami sonne à la porte :

a) Vous lui ouvrez et le faites entrer en dissimulant votre mauvaise humeur.

b) Vous n'êtes pas gentil avec lui.

c) Vous lui claquez la porte au nez.

12. Votre colocataire se sert de vos objets personnels (ordinateur, pantoufles, livres).

a) Vous le / la laissez faire.

b) Vous gardez vos objets personnels sous clé.

c) Vous lui expliquez que vous n'appréciez pas ce geste.

> Additionnez les points
> a = 1 point
> b = 2 points
> c = 3 points

14 points ou moins : vous pouvez vivre en colocation, mais attention, ne laissez pas vos colocataires abuser de votre bonne volonté.

15 à 22 points : vous êtes capable de vivre en colocation pendant un certain temps, mais ce mode de vie est pour vous plutôt temporaire.

22 à 30 points : vous n'êtes pas fait pour la colocation. Vite ! Cherchez un appartement où vous pourrez vivre enfin seul(e).

Les pronoms personnels compléments

9

Objectifs grammaticaux
Les pronoms *l'*, *le*, *la*, *les*, *lui*, *leur*,
me, *nous*, *vous*, etc.
Le présent
Les formes interrogatives, affirmative et négative

Objectif de communication
Parler des relations de voisinage.

Vivre avec le voisinage

A. Sondage. Avec un ou une partenaire, posez les questions du sondage et répondez-y
en remplaçant les mots en caractères gras par un pronom personnel (*l'*, *le*, *la*, *les*,
leur, *me*, *nous*, *vous*), comme dans l'exemple.

> Exemple :   Appréciez-vous **vos voisins** ?
>   Oui, je **les** apprécie.
>   Non, je ne **les** apprécie pas.

1. Saluez-vous **vos voisins** ? _____

2. Vos voisins **vous** saluent-ils ? _____

3. Dites-vous bonjour **à vos voisins** ? _____

4. Vos voisins **vous** disent-ils bonjour ? _____

5. Téléphonez-vous **à vos voisins** ? _____

6. Vos voisins **vous** téléphonent-ils ? _____

7. Aidez-vous **vos voisins** ? _____

8. Vos voisins **vous** aident-ils ? _____

9. Faites-vous confiance **à vos voisins** ? _____

10. Vos voisins **vous** font-ils confiance ? _____

11. Faites-vous des cadeaux **à vos voisins** ? _____

12. Vos voisins **vous** font-ils des cadeaux ? _____

13. Invitez-vous **vos voisins** à la maison ? _____

14. Vos voisins **vous** invitent-ils chez eux ? _____

15. Prêtez-vous des choses **à vos voisins** ? _____

16. Vos voisins **vous** prêtent-ils des choses ? _____

17. Demandez-vous de l'argent **à vos voisins** ? _____

18. Vos voisins **vous** demandent-ils de l'argent ? _____

19. Rendez-vous service **à vos voisins** ? _____

20. Vos voisins **vous** rendent-ils service ? _____

B. Regardez la BD et racontez ce qui se passe. Utilisez les compléments directs (*le, la, les, l'*) ou indirects (*lui, leur*) au besoin.

C. Scénarios. Lisez les scénarios suivants et complétez les énoncés. Discutez de vos choix avec un ou une partenaire.

1. Un de vos voisins va partir en vacances. Il vous demande trois services : nourrir son chat, arroser ses plantes et sa pelouse (deux fois par semaine) et surveiller les allées et venues autour de la maison. Que lui répondez-vous ?

Je lui dis que _____

Je lui explique que _____

Je lui demande si _____

Je lui propose de _____

Je lui offre de _____

2. Vous voyez venir un de vos voisins chargé de paquets. Il s'apprête, comme vous, à prendre l'ascenseur. Que faites-vous ?

Je lui demande _____

Je lui offre _____

Je lui dis de _____

Je lui propose de _____

Je lui suggère de _____

3. Un de vos voisins laisse souvent sa voiture dans votre espace de stationnement. Que faites-vous ?

Je lui parle de _____

Je lui dis que _____

Je lui demande de _____

Je lui explique que _____

Je le menace en lui disant que _____

C. Votre tondeuse à gazon vient de tomber en panne. Vous demandez à votre voisin(e) de vous prêter la sienne. Variez les questions et les réponses selon le degré de familiarité entre vous et votre voisin(e). Écrivez les questions et les réponses dans les espaces prévus.

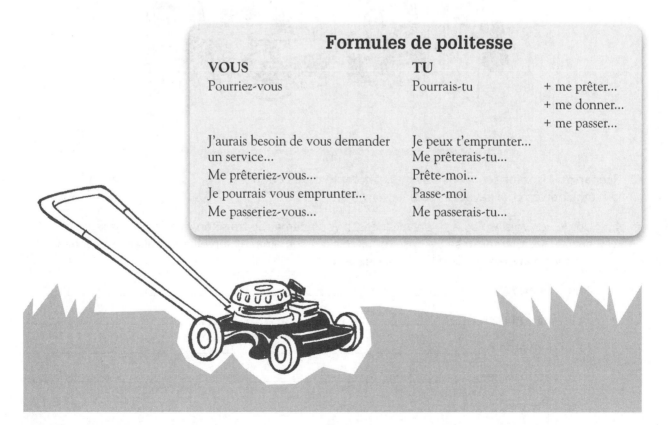

Formules de politesse

VOUS	TU	
Pourriez-vous	Pourrais-tu	+ me prêter...
		+ me donner...
		+ me passer...
J'aurais besoin de vous demander un service...	Je peux t'emprunter...	
Me prêteriez-vous...	Me prêterais-tu...	
Je pourrais vous emprunter...	Prête-moi...	
Me passeriez-vous...	Passe-moi	
	Me passerais-tu...	

	Question	Réponse
Vous connaissez votre voisin depuis deux semaines. C'est la première fois que vous lui demandez quelque chose.		
Vous connaissez votre voisin depuis trois ans. Vous vous rendez souvent des services.		
Votre voisin est quelqu'un de sympathique, mais il garde ses distances. Une fois, il vous a demandé s'il pouvait utiliser votre place de stationnement inoccupée pour un de ses invités.		
Votre voisin a votre âge et vient souvent jouer aux cartes chez vous.		

CAPSULE GRAMMATICALE

Les pronoms *me*, *te*, *nous* et *vous* remplacent des compléments directs (CD) ou des compléments indirects (CI).

Exemple :

Il **m'**aime.
CD (aimer une personne)

Il **me** parle.
CI (parler à une personne)

Objectifs grammaticaux

Les pronoms *l'*, *le*, *la*, *les*, *lui*, *leur*

Les verbes à l'impératif + pronom

Objectif de communication

Faire une suggestion.

À l'occasion de...

A. Remplissez les blancs à l'aide d'un pronom personnel de la troisième personne :
l', *le*, *la*, *les*, *lui* ou *leur*.

Conseils et astuces

À l'occasion de la Saint-Valentin...

Votre amoureux

Invitez-_____ au restaurant.

Vous _____ ferez vraiment plaisir.

Appelez-_____ le matin au bureau et
dites-_____ que vous l'aimez. Il sera ravi.

Achetez-_____ son eau de Cologne
préférée. Il vous aimera encore plus.

Attendez-_____ à la sortie du travail.

Préparez-_____ une surprise.

À l'occasion de l'anniversaire de votre adolescent...

Amenez-_____ au cinéma.

Payez-_____ un billet pour le
spectacle de son choix.

Offrez-_____ un chèque-cadeau.

Offrez-_____ le cadeau de ses rêves.

Proposez-_____ d'aller en voyage
avec vous.

Votre amoureuse

Invitez-_____ à manger dans un
restaurant chic. Elle sera aux anges.

Offrez-_____ des fleurs. Pour créer
un effet surprise, envoyez-_____
par messagerie.

Faites-_____ un cadeau. Achetez-_____
du parfum ou un vêtement délicat.

Envoyez-_____ une carte de souhaits
avec un petit ballon.

Écrivez-_____ un poème d'amour.

À l'occasion de la remise du diplôme de vos filles jumelles...

Demandez-_____ ce qu'elles veulent
et offrez-_____ le cadeau de leur choix.

Amenez-_____ au restaurant !

Dites-_____ que vous êtes fier (ère)
d'elles.

B. Complétez les dialogues par des suggestions à la personne qui parle. Remplacez les mots en caractères gras par un pronom (*le, la, lui*).

1. A : — **Un de mes collègues** vient d'avoir un enfant.

B : — _____

_____

_____

_____

_____

_____

_____

Les pronoms personnels compléments

2. A : — J'ai **une amie** qui vient de rompre avec son amoureux. Comment la consoler ?

B : — _____

_____

_____

_____

_____

_____

_____

_____

_____

_____

3. A : — **Un de mes amis** va partir faire le tour du monde pour un an.

B : — _____

_____

_____

_____

_____

_____

_____

_____

_____

_____

_____

11

Objectif grammatical
Les pronoms *l'*, *le*, *la*, *les*, *me*, *te*, *lui*, *leur*

Objectif de communication
Exprimer des sentiments, des réactions.

États d'âme

A. Dites dans quel état d'âme les situations suivantes vous mettent. Discutez-en deux à deux ou en équipes plus nombreuses. Vous trouverez des idées de réponses dans la colonne de droite.

1. Quand mes voisins font du bruit,
2. Quand j'entends du bruit au milieu de la nuit,
3. Quand mes enfants sont malades,
4. Quand je ne comprends pas un exercice de français,
5. Quand je dois faire du ménage,
6. Quand je me dispute avec des gens de ma famille,
7. Quand je vois des images de guerre à la télévision,
8. Quand la police me donne une contravention,
9. Quand on me pose des questions sur ma vie privée,
10. Quand il fait mauvais,
11. Quand les gens fument devant moi,
12. Quand je ne trouve pas mes clés le matin,
13. Quand je dois aller chez le médecin,
14. Quand il neige au mois de décembre,
15. Quand il neige au mois de mai,
16. Quand je ne peux pas m'asseoir dans le métro,
17. Quand je vais au restaurant et que la nourriture est mauvaise,
18. Quand il y a trop de circulation,
19. Quand on me fait une blague,
20. Quand je vais à un *party* où je ne connais personne,
21. Quand je suis en retard,
22. Quand il y a une panne d'électricité,
23. Quand je suis malade,
24. Quand le chat des voisins se promène sur mon balcon,
25. Quand je mange trop,

ça me détend.

ça m'énerve.

ça me fait de la peine.

ça me dépasse.

ça me révolte.

ça me déprime.

ça me dérange.

ça m'est égal.

ça me fâche.

ça me rassure.

ça me fait peur.

ça me fatigue.

ça me rend malade.

ça me met de mauvaise humeur.

ça me rend nerveux.

ça me rend triste.

ça me met mal à l'aise.

ça m'amuse.

B. Complétez les dialogues par des suggestions à la personne qui parle. Remplacez les mots en caractères gras par un pronom (*le*, *la*, *lui*).

Les pronoms personnels compléments

12

Objectifs grammaticaux
Les pronoms *l'*, *le*, *la*, *les* remplaçant
des personnes
Les auxiliaires modaux
L'infinitif
Les formes affirmative et négative

Objectif de communication
Répondre à une demande
d'information.

De qui est-il question ?

A. Répondez aux questions suivantes sans répéter les noms des personnes. Utilisez les pronoms *l'*, *le*, *la* ou *les*, comme dans l'exemple. Conjuguez le verbe entre parenthèses à l'aide d'un auxiliaire modal suivi d'un infinitif, comme dans l'exemple.

Exemple :

A : — Tu as envoyé un courrier à Véro ?
B : — Non, je **vais l'appeler** ce matin.

1. A : — Est-ce que **Paul** vient à la fête ?

B : — Oui, je l'espère bien, je (envoyer)

_____

son invitation ce matin.

2. A : — **Marie-Hélène** est-elle encore à la garderie ?

B : — Oui, son père (chercher)

_____

dans une heure.

3. A : — As-tu vu **Danuta** dernièrement ?

B : — Non, non, justement, je (voir)

_____

demain.

4. A : — Tu as appelé **Claude** ?

B : — Non, je (appeler)

_____

plus tard.

5. A : — As-tu parlé à **Pierre et Christine**
à propos du cinéma, ce soir ?

B : — Oui, c'est arrangé, on (attendre)

_____

devant la porte à 8 heures.

6. A : — **Tes amis** ont-ils déménagé en
fin de semaine ?

B : — Non, ils déménagent la fin de
semaine prochaine. On (aider)

_____.

7. A : — Tiens ! C'est **Tony** là-bas avec
des amis de Rock !

B : — Ah Tony ! Ça fait longtemps qu'on
l'a vu. On (saluer) _____

_____.

8. A : — Michel ne veut plus voir
son ex-copine.

B : — Non, justement, il (revoir)

_____.

9. A : — Est-ce que je peux parler à
Adrien, s'il vous plaît ?

B : — Désolé ! Il travaille en ce moment,
je (déranger) _____

_____.

Les pronoms personnels compléments

13

Objectif grammatical
Les pronoms *l'*, *le*, *la*, *les*, *lui*, *leur*, *nous*, *vous*, *me*, *te*

Objectif de communication
Exposer un problème par courriel.

À l'école des chiots

A. Voici des courriels que des propriétaires de chiens en mal de conseils ont adressé à un dresseur professionnel. Remplissez les blancs à l'aide des pronoms personnels compléments (*lui*, *leur*, *le*, *la*, *les*, *me*, *nous*, *vous*) appropriés.

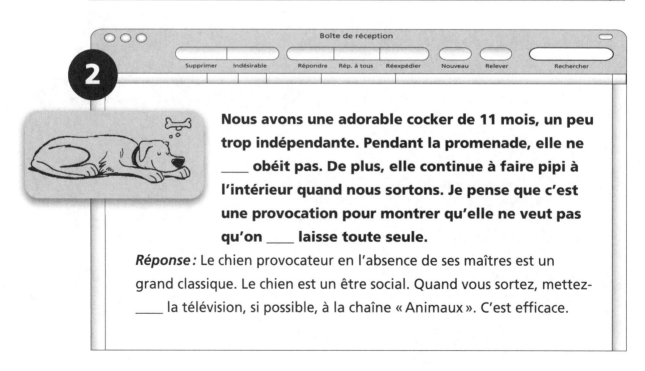

① Boîte de réception

Supprimer   Indésirable   Répondre   Rép. à tous   Réexpédier   Nouveau   Relever   Rechercher

Mon berger allemand a 18 mois. Il mange toutes les plantes. Il se fâche contre les chiens et les chats, mais si un étranger s'approche de moi, il ne réagit pas.

Réponse : Vous _____ avez guidé dans la mauvaise direction. Vous devez _____ montrer que vous n'êtes pas content de ses bêtises. Vous devez _____ réprimander très sévèrement et _____ ignorer pendant une heure ou deux. Mais vous ne devez pas _____ frapper.

② Boîte de réception

Supprimer   Indésirable   Répondre   Rép. à tous   Réexpédier   Nouveau   Relever   Rechercher

Nous avons une adorable cocker de 11 mois, un peu trop indépendante. Pendant la promenade, elle ne _____ obéit pas. De plus, elle continue à faire pipi à l'intérieur quand nous sortons. Je pense que c'est une provocation pour montrer qu'elle ne veut pas qu'on _____ laisse toute seule.

Réponse : Le chien provocateur en l'absence de ses maîtres est un grand classique. Le chien est un être social. Quand vous sortez, mettez-_____ la télévision, si possible, à la chaîne « Animaux ». C'est efficace.

Boîte de réception

Supprimer   Indésirable   Répondre   Rép. à tous   Réexpédier   Nouveau   Relever   Rechercher

3

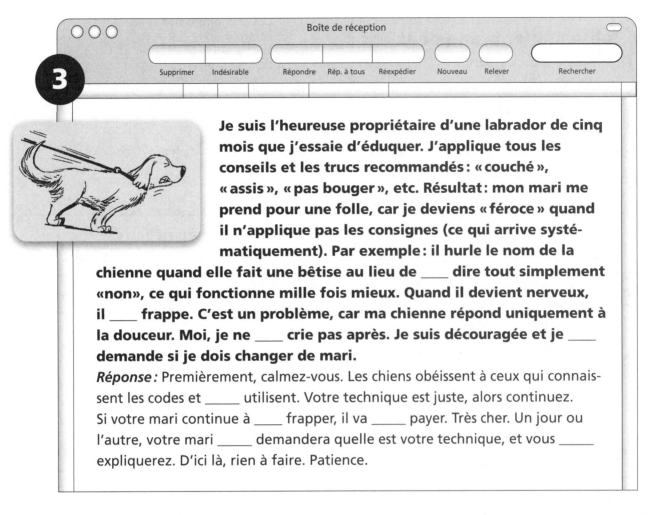

Je suis l'heureuse propriétaire d'une labrador de cinq mois que j'essaie d'éduquer. J'applique tous les conseils et les trucs recommandés : « couché », « assis », « pas bouger », etc. Résultat : mon mari me prend pour une folle, car je deviens « féroce » quand il n'applique pas les consignes (ce qui arrive systématiquement). Par exemple : il hurle le nom de la chienne quand elle fait une bêtise au lieu de ___ dire tout simplement «non», ce qui fonctionne mille fois mieux. Quand il devient nerveux, il ___ frappe. C'est un problème, car ma chienne répond uniquement à la douceur. Moi, je ne ___ crie pas après. Je suis découragée et je ___ demande si je dois changer de mari.

Réponse : Premièrement, calmez-vous. Les chiens obéissent à ceux qui connaissent les codes et ____ utilisent. Votre technique est juste, alors continuez. Si votre mari continue à ___ frapper, il va ____ payer. Très cher. Un jour ou l'autre, votre mari ____ demandera quelle est votre technique, et vous ____ expliquerez. D'ici là, rien à faire. Patience.

B. Lisez le texte, puis expliquez-le à un ou une camarade.

En cour pour des chiots

Madame Dambroise, propriétaire d'une superbe chienne labrador nommée Laïka, poursuit en justice Monsieur Langlois, son voisin et propriétaire d'un beau golden répondant au nom de Pirate. Elle exige le paiement d'une pension alimentaire pour subvenir aux besoins des chiots du couple canin. L'été dernier, Pirate et Laïka sont tombés amoureux et ils ont eu sept chiots ensemble. Sauf que les frais encourus lors de l'accouchement ont été payés uniquement par Madame Dambroise. Elle a réussi à donner cinq chiots à des familles d'accueil de son entourage, mais seulement après les avoir nourris pendant deux mois, ce qui lui a coûté la rondelette somme de 300 $. Quant aux deux chiots pour lesquels il a été impossible de trouver preneur, Madame Dambroise demande à Monsieur Langlois de les prendre avec lui ou de payer pour les frais qu'ils occasionnent.

Les pronoms personnels
Les pronoms *l'*, *le*, *la*, *les*
Le présent
Le futur proche
Les formes affirmative et négative

Tableau d'entraînement

Tableau 1

Complétez le tableau à l'aide d'un verbe au futur proche ou au présent, comme dans l'exemple.

	Forme affirmative		Forme négative	
	Futur proche	**Présent**	**Futur proche**	**Présent**
Exemple :	*Je vais le faire.*	*Je le fais.*	*Je ne vais pas le faire.*	*Je ne le fais pas.*
1. Nous allons le prendre.				
2.		Vous l'achetez ?		
3. On va l'envoyer.				
4.		Nous le louons.		
5.		On la vend ?		
6.			Vous n'allez pas la poster.	
7.				Tu ne l'avoues pas ?
8. Tu vas le recevoir ?				
9.			Tu ne vas pas le laisser ?	
10.		Je les aime.		
11. Nous allons le lire.				
12.				On ne l'invite pas ?
13.		Vous les regardez ?		
14.		Je l'écris.		
15. On va le préparer.				

Les pronoms personnels
Les pronoms *l'*, *le*, *la*, *les*, *lui*, *leur*
L'infinitif
Les formes affirmative et négative

Tableau d'entraînement

Tableau 2

Complétez le tableau avec des verbes suivis de l'infinitif, à la forme affirmative ou à la forme négative. Dans la colonne de droite, indiquez les compléments remplacés par les pronoms, comme dans l'exemple.

Forme affirmative	Forme négative	Objets remplacés
Exemple : *Je vais le faire.*	*Je ne vais pas le faire.*	*le travail*
1. Nous pouvons le finir.		
2.	On ne peut pas l'envoyer.	
3. Je veux les inviter.		
4. Il va la vendre.		
5.	Ils ne peuvent pas lui demander.	
6. Il faut leur dire.		
7. Tu dois leur parler.		
8.	Elle ne veut pas l'acheter.	
9. Vous pouvez le prendre ?		
10. On va les attendre.		
11.	Je ne dois pas les fermer.	
12. Nous pouvons l'amener.		
13.	Je ne vais pas lui téléphoner.	
14. Il faut le faire tout de suite.		
15. Je vais l'aider.		

Les pronoms personnels
Le pronom *en*
Le présent
Les formes affirmative et négative

Tableau d'entraînement

Tableau 3

Complétez le tableau à l'aide de noms introduits par un déterminant partitif (*du, de la* ou *des*) et par un verbe à la forme affirmative ou à la forme négative, comme dans l'exemple.

		Forme affirmative	Forme négative
Exemple :	*Du* café	J'*en* veux.	Je n'*en* veux pas.
1.		Vous en prenez.	
2.			Tu n'en veux pas ?
3.		Il en achète souvent.	
4.			Je n'en ai pas.
5.	Des chemises d'été		
6.		On en boit rarement.	
7.			Nous n'en voulons pas.
8.	Du sucre		
9.			Vous n'en mangez pas ?
10.	Du chocolat		
11.		J'en achète régulièrement.	
12.			Il n'en a pas.
13.	De la confiture		
14.		On en fait souvent.	
15.			Je n'en consomme pas.

Les pronoms personnels
Le pronom *en*
Le présent
Les formes interrogatives, affirmative
et négative

Tableau d'entraînement

Tableau 4

Complétez le tableau par la forme interrogative, la forme affirmative ou la forme négative des phrases au présent, comme dans l'exemple.

Forme interrogative	Forme affirmative	Forme négative
Exemple : *Des crêpes, en voulez-vous ?*	*Oui, merci, j'en veux une.*	*Non, merci, je n'en veux pas.*
1. Du café, en buvez-vous ?		
2.	Oui, j'en prends un autre.	
3.		Non, je n'en mange jamais.
4.	Oui, j'en ai deux.	
5. Des pommes de terre au four, en mangez-vous souvent ?		
6.	Oui, on en fait de temps en temps.	
7.		Non, nous n'en avons pas.
8.	Oui, j'en ai besoin.	
9. De la gomme à mâcher, en veux-tu ?		
10.		Non, on n'en écoute pas.
11. Des animaux domestiques, en avez-vous ?		
12.	Oui, il en prend une tous les matins.	
13.		Non, ils n'en mangent jamais.
14. De la confiture, en faites-vous ?		
15.		Non, je n'en écoute pas.

Les pronoms personnels compléments **203**

Les pronoms personnels
Le pronom *en*
Le passé composé
Les formes affirmative et négative

Tableau d'entraînement

Tableau 5

Complétez le tableau par des objets introduits par un déterminant partitif (*du, de la, de l', des*) et par des verbes au passé composé à la forme affirmative ou à la forme négative, comme dans l'exemple.

	Forme affirmative	Forme négative
Exemple : *Du café ?*	*J'en ai pris.*	*Je n'en ai pas pris.*
1. Des allumettes ?		
2.		Nous n'en avons pas acheté.
3.	Elle en a vendu beaucoup.	
4.	J'en ai mangé un morceau.	
5. Des disques compacts ?		
6.		Il n'en a pas bu.
7. Des vacances ?		
8. Du sirop ?		
9. Des journaux ?		
10.	On en a fait.	
11.	Nous en avons eu.	
12. Des bandes dessinées ?		
13.		Je n'en ai pas voulu.
14.	Vous en avez fait.	
15.	Elle en a écouté.	

Les pronoms personnels
Les pronoms *l'*, *le*, *la*, *les*, *lui*, *leur*
Le présent
Les formes affirmative et négative

Tableau d'entraînement

Tableau **6**

Complétez le tableau en ajoutant le nom d'une personne, puis en remplaçant ce nom par *l'*, *le*, *la*, *les* (dans la colonne du centre), *lui* ou *leur* (dans la colonne de droite), comme dans l'exemple.

		Pronom complément direct	Pronom complément indirect
Exemple :	*Paul,*	je *l'*invite.	Je *lui* parle.
1.			On lui téléphone souvent.
2.	Mes amis chiliens,		
3.		tu l'aides à faire ses devoirs ?	
4.	Le concierge,		
5.		on les aime bien.	
6.	Tes voisins,		
7.			Il leur répond toujours vite.
8.			Vous lui donnez votre numéro.
9.	Votre chien,		
10.		vous les attendez ?	
11.			Tu leur achètes un cadeau ?
12.		je les comprends.	
13.	Uday et Marc,		
14.		nous les félicitons.	
15.			Je leur donne des conseils parfois.

Les pronoms personnels compléments **205**

Les pronoms personnels
Les pronoms *me, te, vous*
Le futur proche
Le passé composé
Les formes affirmative et négative

Tableau d'entraînement

Tableau 7

Complétez le tableau avec des verbes au passé composé à la forme affirmative ou négative, ou au futur proche à la forme affirmative ou négative. Suivez l'exemple.

Passé composé, forme affirmative	Passé composé, forme négative	Futur proche, forme affirmative	Futur proche, forme négative
Exemple : *Il m'a dit.*	*Il ne m'a pas dit.*	*Il va me dire.*	*Il ne va pas me dire.*
1. Ils t'ont attendu.			
2.	Je ne t'ai pas expliqué.		
3.		Tu vas m'appeler.	
4.		On va t'envoyer une copie.	
5.			Je ne vais pas vous aviser.
6. Il t'a cherché.			
7.	On ne vous a pas dit.		
8.		Vous allez me faire plaisir.	
9.	Vous ne m'avez pas prévenu.		
10. Je t'ai suivi.			
11.		Je vais t'amener.	
12.			Tu ne vas pas me trouver.
13. Elle vous a aidé.			
14.	Tu ne m'as pas surpris.		
15.		Je vais te montrer quelque chose.	

Les pronoms personnels
Les pronoms *l'*, *le*, *la*, *les*, *lui*, *leur*
L'impératif
Les formes affirmative et négative

Tableau d'entraînement

Tableau 8

Complétez le tableau avec des verbes à l'impératif accompagnés d'un pronom, à la forme affirmative et/ou à la forme négative. Dans la colonne de droite, indiquez les objets remplacés par les pronoms, comme dans l'exemple.

Forme affirmative	Forme négative	Compléments remplacés
Exemple : Fais-*le*.	Ne *le* fais pas.	le travail
1. Invite-**les**.		
2.	Ne **leur** dis pas.	
3. Offre-**lui** un cadeau.		
4.		les espadrilles
5. Achète-**la**.		
6.	Ne **l'**aide pas.	
7.	Ne **lui** téléphone pas.	
8.		la lettre
9. Prends-**les**.		
10.	Ne **les** attends pas.	
11. Ouvrez-**leur.**		
12.		votre concierge
13. Vendez-**la**.		
14.	Ne **les** faites pas.	
15.		votre appareil photo numérique

Tableau d'entraînement

Les pronoms personnels
Les pronoms *me, nous, moi*
L'impératif
Les formes affirmative et négative

Tableau **9**

Complétez le tableau avec des verbes à l'impératif suivis (pour la forme affirmative) ou précédés (pour la forme négative) d'un pronom, comme dans l'exemple.

Forme affirmative	Forme négative
Exemple : Attends-*moi.*	Ne *m'*attends pas.
1. Fais-moi plaisir.	
2.	Ne nous explique pas ça.
3. Parle-moi.	
4. Écoute-moi.	
5.	Ne m'appelle plus.
6.	Ne nous dis pas ça !
7. Prête-moi ton auto.	
8.	Ne nous attendez pas.
9. Invitez-nous.	
10. Répondez-nous.	
11.	Ne me regardez pas.
12. Envoyez-nous la copie.	
13.	Ne me préparez rien.
14. Achète-moi le journal.	
15. Écris-moi.	
16. Donne-moi cinq minutes.	
17.	Ne nous obligez pas à faire ce travail.
18.	Ne me parle plus.
19. Passe-moi les clés.	
20. Communique-moi tes intentions.	

Les pronoms personnels
Les pronoms *l'*, *le*, *la*, *les*, *moi*, *lui*, *leur*
L'impératif
Les registres du français standard et du
français oral familier

Tableau d'entraînement

Tableau 10

Complétez le tableau, comme dans l'exemple.

Forme affirmative	Forme négative, registre du français standard	Forme négative, registre du français oral familier
Exemple : *Appelle-les.*	*Ne les appelle pas.*	*« Appelle-les pas. »*
1. Parle-moi.		
2.		« Dérange-moi pas. »
3. Expliquons-lui.		
4.	Ne le fais pas.	
5. Raconte-moi tout.		
6.	Ne le leur dis pas tout de suite.	
7.		« Téléphone-lui pas ce soir. »
8. Invite-les.		
9. Achète-le.		
10.	Ne le mange pas.	
11.		« Attendez-moi pas. »
12. Écoute-les.		
13. Répondez-leur.		
14.		« Taquine-la pas. »
15. Aide-les.		
16.	Ne l'essaie pas.	
17. Excusez-les.		
18.		« Bois-le pas. »
19.	Ne les garde pas.	
20. Visite-la.		

Les pronoms personnels
Les pronoms *l'*, *le*, *la*, *les*, *lui*, *leur*
Le passé composé
Les formes affirmative et négative

Tableau d'entraînement

Tableau **11**

Complétez le tableau avec des verbes au passé composé à la forme affirmative ou à la forme négative, comme dans l'exemple. Dans la colonne de droite, indiquez les personnes ou les objets remplacés par les pronoms.

Forme affirmative	Forme négative	Objet ou personne
Exemple : Je *lui* ai parlé.	Je ne *lui* ai pas parlé.	*Paul*
1. Nous l'avons demandé.		
2.	Vous ne l'avez pas fait.	
3.	On ne l'a pas attendu.	
4. Il lui a dit la vérité.		
5.	Je ne leur ai pas répondu.	
6. Ils l'ont invité.		
7.	Vous ne lui avez pas téléphoné ?	
8. Je l'ai fini.		
9.	Je ne l'ai pas vu.	
10.	Tu ne l'as pas apporté.	
11. On leur a demandé.		
12.	On ne l'a pas rempli.	
13. Je l'ai salué, comme d'habitude.		
14.	Je ne l'ai pas compris.	
15. On lui a commandé des photos.		
16. On leur a souri.		
17.	Nous ne leur avons pas raconté les détails.	
18.	Je ne l'ai pas vu.	
19. Il l'a excusé.		
20. Nous l'avons connu.		

Les pronoms personnels
Les pronoms *l'*, *le*, *la*, *les*
L'impératif
L'infinitif
Les formes affirmative et interrogative

Tableau d'entraînement

Tableau 12

Dans la colonne de gauche, remplissez les blancs à l'aide d'un pronom personnel complément.
Puis, dans la colonne de droite, répondez à la question en remplaçant le mot en caractères gras.

Exemple : Ce **livre** m'intéresse beaucoup. Est-ce que je peux *le* prendre ?	Oui, bien sûr, vous pouvez le prendre. Ou Bien sûr, prenez-le.
1. Vous demandez 550 dollars pour l'**appartement** ? Bon. Est-ce que je peux ____ visiter ?	Oui, bien sûr, _____.
2. Cette **voiture** me plaît vraiment. Est-ce que je peux _____ essayer ?	Certainement, _____.
3. Cette **chaise**, elle est libre ? Je peux ____ prendre ?	Non, _____.
4. Maman, je sais que tu n'utilises pas la **voiture** ce soir. Est-ce que je peux ____ prendre ?	Oui, _____.
5. Vos **billets** sont prêts, vous allez ____ prendre ?	Oui, _____.
6. Je ne peux pas finir ce **travail** ce soir. Est-ce que je peux ____ terminer demain ?	Oui, bien sûr, _____.
7. Excusez-moi, la **cigarette** me dérange. Est-ce que vous pourriez ___ éteindre ?	Non, _____. Ici, on peut fumer.
8. Tu as beaucoup de **vêtements** que tu ne portes plus. Tu ne veux pas ____ donner ?	Non, _____.
9. Nous voudrions utiliser cette table, mais elle est pleine de **papiers**. Est-ce que vous pourriez ____ enlever ?	Certainement, _____.
10. La **fenêtre** est ouverte, c'est pour ça qu'il fait froid. Est-ce que vous voudriez ____ fermer ?	Oui, _____.

Les pronoms personnels compléments **211**

8 Les verbes pronominaux

TABLE DES MATIÈRES

Page	Tableaux d'entraînement	Objectifs grammaticaux
228	**Tableau 1**	Les verbes pronominaux Le passé composé Les formes affirmative et négative
229	**Tableau 2**	Les verbes pronominaux L'infinitif pronominal Les formes affirmative et négative
230	**Tableau 3**	Les verbes pronominaux Le passé composé Les formes interrogatives, affirmative et négative
231	**Tableau 4**	Les verbes pronominaux L'impératif Les formes affirmative et négative Le verbe à l'impératif + complément

Les verbes pronominaux **213**

Tableau grammatical

Les verbes pronominaux

A. Fonctionnement

1. Présent

Forme affirmative	Forme négative
Je ME lave	Je NE me lave PAS
Tu TE laves	Tu NE te laves PAS
Il, elle SE lave	Il, elle NE se lave PAS
On SE lave	On NE se lave PAS
Nous NOUS lavons	Nous NE nous lavons PAS
Vous VOUS lavez	Vous NE vous lavez PAS
Ils, elles SE lavent	Ils, elles NE se lavent PAS

2. Infinitif

Forme affirmative	Forme négative
Je vais ME laver	Je NE vais PAS me laver
Tu vas TE laver	Tu NE vas PAS te laver
Il, elle veut SE laver	Il, elle NE veut PAS se laver
On peut SE laver	On NE peut PAS se laver
Nous pouvons NOUS laver	Nous NE pouvons PAS nous laver
Vous devez VOUS laver	Vous NE devez PAS vous laver
Ils, elles vont SE laver	Ils, elles NE vont PAS se laver

3. Passé composé

Forme affirmative	Forme négative
Je ME SUIS lavé / lavée	Je NE me suis PAS lavé / lavée
Tu T'ES lavé/lavée	Tu NE t'es PAS lavé/lavée
Il S'EST lavé	Il NE s'est PAS lavé
Elle S'EST lavée	Elle NE s'est PAS lavée
On S'EST lavé, lavés / lavées	On NE s'est PAS lavé, lavés / lavées
Nous NOUS SOMMES lavés / lavées	Nous NE nous sommes PAS lavés / lavées
Vous VOUS ÊTES lavés / lavées	Vous NE vous êtes PAS lavés / lavées
Ils SE SONT lavés	Ils NE se sont PAS lavés
Elles SE SONT lavées	Elles NE se sont PAS lavées

4. Impératif

Forme affirmative	Forme négative
Dépêche-toi	Ne te dépêche pas
Dépêchons-nous	Ne nous dépêchons pas
Dépêchez-vous	Ne vous dépêchez pas

B. Verbes pronominaux et non pronominaux

1.

Verbe + *quelqu'un* ou *quelque chose*

(non pronominal)

amuser	arrêter	asseoir
brûler	coucher	déguiser
déplacer	énerver	habiller
inscrire	laver	perdre
promener	réveiller	servir

Verbe + *soi-même*

(pronominal)

s'amuser	s'arrêter	s'asseoir
se brûler	se coucher	se déguiser
se déplacer	s'énerver	s'habiller
s'inscrire	se laver	se perdre
se promener	se réveiller	se servir

Verbe + à *quelqu'un*

(non pronominal)

demander
dire
poser des questions

Verbe + à *soi-même*

(pronominal)

se demander
se dire
se poser des questions

2.

Verbe + *quelqu'un*

(non pronominal)

aider	aimer	détester
fréquenter	haïr	ignorer
inviter	protéger	quitter
respecter	saluer	voir

Verbe + *l'un l'autre* (réciproquement)

(pronominal)

s'aider	s'aimer	se détester
se fréquenter	se haïr	s'ignorer
s'inviter	se protéger	se quitter
se respecter	se saluer	se voir

Verbe + à *quelqu'un*

dire	écrire
faire confiance	offrir quelque chose
parler	téléphoner

Verbe + *l'un à l'autre*

se dire	s'écrire
se faire confiance	s'offrir quelque chose
se parler	se téléphoner

C. Verbes fréquents à la forme pronominale

Toilette	Santé	Sentiments / réactions	Autres champs lexicaux
se brosser les cheveux	se blesser	s'amuser, se calmer	s'appeler
se brosser les dents	se brûler	s'emporter	s'asseoir
se brosser les ongles	se cogner	s'énerver	se coucher
se changer	se couper	s'en faire	se déguiser
se chausser	s'empoisonner	s'ennuyer	se dépêcher
se coiffer	s'étirer	se fâcher	s'élever
s'essuyer	s'étouffer	se méfier	s'endormir
s'habiller	se faire mal	se mettre en colère	s'excuser
se laver	se fouler	se plaindre	s'inscrire
se maquiller	se fracturer	se ronger les ongles	se perdre
se parfumer	se piquer	se sentir mal à l'aise	se promener
se peigner	se sentir mal	s'inquiéter	se rapprocher
se procurer	se tordre		se rendre
se préparer			se renseigner
se raser			se reposer
se sécher les cheveux			se réveiller
			se servir
			se tromper

D. Verbes qui existent seulement à la forme pronominale

s'efforcer	se méfier
s'emparer	se moquer
s'enfuir	se soucier
s'évanouir	se souvenir
se fier	se suicider

Objectifs grammaticaux
Les verbes pronominaux
Le présent
Les formes affirmative et négative

Objectif de communication
Parler de ses habitudes de vie.

Frôlez-vous la déprime ?

A. Répondez au sondage suivant en cochant oui ou non pour chacune des questions.
Puis, en équipes, comparez vos réponses et discutez-en.
Utilisez des verbes pronominaux dans toutes vos réponses.

SONDAGE : Frôlez-vous la déprime ?

		OUI	NON
1.	Le soir, vous vous couchez toujours de bonne heure.	○	○
2.	Avant de vous coucher, vous pensez à tout ce que vous aurez à faire le lendemain.	○	○
3.	Vous vous endormez avec beaucoup de difficulté.	○	○
4.	Au travail, vous vous détendez facilement.	○	○
5.	À la maison, vous vous reposez au moins deux heures par jour.	○	○
6.	Vous avez l'habitude de vous promener au moins une heure par jour.	○	○
7.	Vous vous rongez les ongles.	○	○
8.	Vous vous emportez facilement.	○	○
9.	Quand vous vous rendez à la maison, vous oubliez complètement le travail.	○	○
10.	Vous vous sentez inquiet ou inquiète sans raison particulière.	○	○
11.	Au travail, quand arrive un problème, vous vous énervez facilement.	○	○
12.	En voiture, vous vous perdez souvent, vous oubliez où vous allez.	○	○
13.	Vous vous préoccupez de choses sans importance.	○	○
14.	Depuis quelque temps, vous avez de la difficulté à vous entendre avec vos collègues.	○	○
15.	Vous vous plaignez souvent.	○	○
16.	Vous vous dites souvent : « Comme j'aimerais partir en vacances ! »	○	○
17.	Vous vous réveillez en plein milieu de la nuit.	○	○
18.	Si vous vous sentez agressé ou agressée, vous avez de la difficulté à vous maîtriser.	○	○
19.	Vous vous sentez toujours fatigué ou fatiguée.	○	○
20.	Vous vous posez de sérieuses questions sur votre vie de couple.	○	○
21.	Au bureau, vous vous dépêchez de peur de ne pas finir votre travail à temps.	○	○
22.	Vous vous fâchez facilement.	○	○
23.	Vous vous sentez laid ou laide.	○	○
24.	Vous vous en faites au sujet de votre conjoint, de vos enfants, de vos parents.	○	○

Objectifs grammaticaux
Les verbes pronominaux,
les verbes non pronominaux
L'impératif

Objectif de communication
Vanter les qualités d'un produit.

Publicité

A. Lisez les slogans publicitaires suivants. Soulignez les verbes à l'impératif.
Dites s'ils sont pronominaux ou non. Comme dans l'exemple, écrivez le verbe
à l'infinitif dans l'espace prévu.

Exemple :

	Verbe pronominal	Verbe non pronominal
Lors de votre prochaine réception, offrez à vos invités notre ❀ *Délice au capuccino et au chocolat* ❀ — offrir —	○	✓
1 Profitez de la tempête d'aubaines chez ABC Direct	○	○
2 Marché aux puces **VENDEZ-TOUT !**	○	○
3 À ces prix, offrez-vous aujourd'hui le rêve de votre vie ! **3 NUITS AUX BAHAMAS,** à partir de 868 $ **7 NUITS DANS LES ANTILLES,** à partir de 1 358 $	○	○
4 *Abonnez-vous à la saison 2007-2008* (514) 355-5555	○	○
5 Assistez au défilé de mode du **Collège Labonté** et des **Créations Océane**	○	○

		Verbe pronominal	Verbe non pronominal

6 Reposez-vous dans une ambiance paisible. SPA « Le lac bleu » _____ ○ ○

7 *Votez* *pour le plus beau voilier construit sur place avec moins de 1000 $ de matériaux* _____ ○ ○

8 Découvrez les mille et un secrets **d'un pêcheur professionnel** _____ ○ ○

9 **Oui !** Inscrivez-nous, mes élèves et moi, au Programme pédagogique de **La Nouvelle Revue.** _____ ○ ○
Envoyez-moi _____ exemplaires pour mes élèves, pour un total de : _____ $ _____ ○ ○
Commencez mon abonnement avec le numéro du _____ _____ ○ ○

10 Admirez les puissants bateaux « off-shore » du fameux « **Poker Run** ». _____ ○ ○
Réservez tôt. Rabais jusqu'à 200 $. _____ ○ ○

11 **PARTICIPEZ AU TIRAGE !** Joignez-vous aux amis _____ ○ ○
de votre festival ! _____ ○ ○

12 Économisez cet hiver avec **Via Rail**. De plus, prime spéciale si vous achetez votre billet avant le 15 novembre. _____ ○ ○

13 **À bout de souffle?** _____ ○ ○
Reprenez-vous avec **Confort Plus**

14 Laissez-vous emporter... tout en gardant le contrôle. _____ ○ ○
BMW, le plaisir de conduire.

B. Utilisez les verbes pronominaux et non pronominaux suivants dans d'autres slogans publicitaires.

VERBES

non pronominaux	pronominaux
aller, acheter, prendre	se reposer, s'abonner, s'envoler
voyager, choisir, profiter	se dépêcher, s'offrir, se laisser tenter
ne pas manquer, ne pas oublier	s'inscrire, se faire plaisir
consulter, venir, payer	se joindre, se faire gâter

Slogans publicitaires

_____

_____

_____

_____

_____

_____

_____

_____

_____

_____

_____

_____

_____

_____

_____

_____

_____

_____

Objectifs grammaticaux
Les verbes pronominaux
L'impératif
La forme affirmative

Objectifs de communication
Donner un conseil, une directive.
Exprimer un souhait.

Demandes

A. Dans les situations suivantes, des personnes expriment des problèmes. Donnez-leur un conseil, exprimez un souhait ou formulez une directive. Choisissez, comme dans l'exemple, un verbe pronominal dans la colonne de droite et conjuguez-le à l'impératif.

Exemple : A : — J'ai besoin d'un renseignement sur les horaires des trains. Je vais aller à la gare.
B : — **Renseigne-toi** sur Internet.

s'amuser
s'asseoir
s'inscrire
se calmer
se coucher
se déguiser
se dépêcher
se déshabiller
se promener
se rendre
se renseigner
se reposer

1. A : — Je suis fatigué, à bout.
B : — _____ une bonne semaine.

2. A : — Bonjour, est-ce que je peux entrer ?
B : — Bien sûr. _____ là.

3. A : — J'adore me promener le soir, mais je ne me sens pas en sécurité dans le quartier.
B : — _____ avec ton chien.

4. A : — J'aimerais ça, aller au *party* d'Halloween chez Pierre.
B : — Moi aussi, mais je ne sais pas quoi mettre.
A : — _____ en sapin de Noël.

5. A : — Pardon, Madame, pour déposer les formulaires de demande d'emploi ?
B : — _____ au quatrième étage. C'est la première porte à droite.

6. A : — J'ai commencé une vilaine grippe. J'ai mal à la gorge et j'ai des frissons.
B : — _____. Il n'y a rien comme le lit pour se remettre d'une grippe.

7. A : — Bonjour.
B : — Bonjour. _____, mettez cette « jaquette » et attendez ici. Le docteur va vous examiner.

8. A : — Sylvie, _____, tu vas rater le train.
B : — Oh non, déjà 8 heures !

9. A : — J'aimerais suivre le cours de danse africaine au centre communautaire.
B : — _____ rapidement, les places sont limitées.
A : — Ah bon, je vais y aller demain.

10. A : — Maman, nous partons ce soir en camping.
B : — _____ bien, mais soyez prudents.

11. A : — Papa, je ne peux pas dormir, j'ai un examen demain.
B : — _____. Tout va bien se passer.

4

Objectifs grammaticaux
Les verbes pronominaux
Le présent
La forme affirmative

Objectif de communication
Décrire une réaction.

En bon citoyen

A. Deux par deux, posez-vous les questions suivantes et répondez-y à tour de rôle. Puis soulignez les verbes pronominaux. Utilisez les verbes pronominaux au présent quand il le faut.

1. Vous êtes au volant, le feu va passer au rouge. Que faites-vous ?

   ○ Je me dépêche de traverser avant que le feu devienne rouge.

   ○ Je m'arrête au feu jaune.

2. Vous êtes dans l'autobus. Il reste une seule place assise. Que faites-vous ?

   ○ Je m'assois le plus vite possible.

   ○ Je laisse quelqu'un d'autre s'asseoir.

3. Au magasin, vous faites la queue à une caisse et une autre caisse se libère. Que faites-vous ?

   ○ Je me précipite à la caisse qui vient de se libérer.

   ○ Je ne me dépêche pas, car je n'aime pas bousculer les autres pour ne gagner qu'une petite minute.

4. Au cinéma, la salle est comble. Il reste une place à votre gauche et une à votre droite. Un couple arrive. Que faites-vous ?

   ○ Je garde ma place, car je vois très bien l'écran.

   ○ Je me déplace pour permettre aux nouveaux venus de s'asseoir ensemble.

5. En vacances, l'hôtel qu'on vous assigne n'est pas celui qui figurait sur la brochure touristique, mais il est aussi bien. Que faites-vous ?

   ○ Je me plains à l'agence de voyages et je réclame un remboursement.

   ○ Sans rien réclamer, je signale la situation à l'agence de voyages.

6. Vous êtes à l'université. Devant la porte, deux étudiants sont en train de fumer et bloquent le passage. Que faites-vous ?

   ○ Je me permets de leur dire de libérer le passage.

   ○ Je m'abstiens de leur parler. Je me dis que ce n'est pas grave.

7. Vous êtes au volant de votre voiture et vous roulez sur l'autoroute. Une autre voiture vous double à vive allure sur la droite. Que faites-vous ?

   ○ Je me calme et je continue à rouler comme si de rien n'était.

   ○ Je m'énerve et je cherche à la doubler à mon tour.

8. Vous attendez depuis 10 minutes qu'on vous serve une crème glacée. Une personne qui vient d'entrer réussit à se faire servir avant vous. Que faites-vous ?

   ○ Je me fâche et je lui dis de suivre la file.

   ○ Je me dirige au comptoir vers le préposé. Je lui demande de faire respecter la priorité.

Objectifs grammaticaux
Les verbes pronominaux
Le passé composé

Objectif de communication
Parler d'activités quotidiennes
au passé.

Une matinée mouvementée

A. Regardez la bande dessinée. En utilisant les verbes de la colonne de droite, dites ce que Monsieur Dion et Monsieur Tremblay ont fait hier.

se lever
se réveiller
se raser
se peigner
se préparer
s'habiller
se parfumer
se chausser
se dépêcher
se diriger

Objectifs grammaticaux
Les verbes pronominaux
Le passé composé

Objectif de communication
S'informer.

Trois enfants perdus

A. Lisez l'article, puis répondez aux questions par vrai ou faux.

Trois jeunes enfants se perdent et passent la nuit dans le bois

« Oui, j'ai eu peur. Je savais même plus où était ma maison... »

Couchée sur le sofa du salon, chez elle à Granby, la petite Catherine Gaucher, quatre ans, se remettait de ses émotions, hier. Elle et deux garçons de son âge, portés disparus lundi après-midi, ont passé une nuit épuisante dans le bois.

Environ 300 personnes se sont lancées à leur recherche en fin de journée, lundi. Un appel lancé sur les ondes de la station de radio locale a permis de rassembler en quelques heures un nombre record de volontaires.

Catherine et ses deux amis, Alexandre Nault et Manuel Massé, ont été retrouvés sains et saufs aux premières lueurs du jour, hier, à plus de deux kilomètres de leurs maisons, situées dans un quartier résidentiel de Granby.

Un chevreuil

« J'ai vu un chevreuil », a raconté le petit Manuel en sortant de son bain, hier après-midi.

« Qu'est-ce que tu as fait ? » lui a demandé son père. « J'ai embarqué dessus... », a-t-il dit, l'air coquin, les joues rouges et les narines légèrement brûlées par le froid.

Les trois enfants jouaient dans le garage de l'une des maisons, lundi, avant de disparaître dans le bois vers 16 h 30. La mère de Manuel, Michelle Massé, leur a apporté des biscuits à 16 h 10 et une dizaine de minutes plus tard, la gardienne de Catherine constatait leur absence.

Les parents ont prévenu la police au coucher du soleil après les avoir cherchés dans les environs immédiats. M. Massé et son voisin, M. Gaucher, ont participé aux recherches pendant toute la nuit. De 20 h à minuit, environ 300 personnes, dont une vingtaine de policiers, ont ratissé le secteur à la recherche de Catherine et de ses deux petits amis de la rue Harvey. Puis, leur nombre a progressivement diminué. Vers 5 h, on comptait encore une centaine de personnes.

Le policier de la Sûreté municipale de Granby, André Guertin, a retrouvé les enfants à 5 h du matin, au bout de 12 heures de recherches. Tous trois étaient trempés de la tête aux pieds. Catherine avait perdu une chaussure, un gant et sa tuque. Manuel avait aussi perdu son chapeau. Les enfants ont été conduits à l'hôpital de Granby pour y subir des examens. Ils ont pu rentrer chez eux vers 8 h.

« J'avais hâte que tu me trouves parce qu'il ne me restait que deux dodos avant de courir l'Halloween ! » a dit le petit Alexandre en apercevant sa mère à l'hôpital.

	Vrai	Faux	On ne sait pas
1. Deux enfants se sont perdus dans le bois.	○	○	○
2. Les enfants se sont perdus à cause du mauvais temps.	○	○	○
3. Environ 300 personnes se sont portées volontaires pour les chercher.	○	○	○
4. Au retour des enfants, la mère s'est fâchée.	○	○	○
5. Un enfant s'est blessé à la jambe.	○	○	○
6. Au retour des enfants, les parents se sont mis à pleurer.	○	○	○
7. Les enfants se sont mouillés.	○	○	○
8. Les enfants se sont endormis dans le bois.	○	○	○
9. Les maisons des enfants se trouvent dans un quartier résidentiel de Granby.	○	○	○
10. Les enfants se sont réchauffés en faisant un feu.	○	○	○
11. À son retour à la maison, le petit Manuel s'est réchauffé en prenant un bain chaud.	○	○	○

Mesures de survie
utiles aux enfants

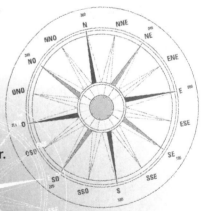

Rester au même endroit
Dites aux enfants de choisir un arbre près d'une clairière et d'y rester.

Bruits
Dites aux enfants de crier dans la direction des bruits.

Grandir à vue d'oeil
Un enfant peut attirer l'attention d'un avion qui le recherche s'il s'habille d'un sac à ordures et s'étend par terre dans une clairière.

Punition
Assurez les enfants que personne ne se fâchera contre eux s'ils se perdent.
Ceci évitera qu'ils se cachent des personnes qui les recherchent.

Adapté d'une publication du ministère des Approvisionnements et des Services (Canada), 1995.

Objectifs grammaticaux
Les verbes pronominaux
Le présent

Objectif de communication
Parler des relations avec différentes personnes.

Relations

A. Quelles sont vos relations avec les personnes suivantes ? Discutez-en en équipes en utilisant les verbes pronominaux que vous trouverez dans les colonnes de droite.

1. Avec votre patron
2. Avec votre mère, votre père
3. Avec vos enfants adolescents
4. Avec votre collègue de bureau
5. Avec vos employés
6. Avec votre mari, votre femme
7. Avec votre secrétaire
8. Avec vos créanciers
9. Avec vos voisins
10. Avec vos amis du même sexe
11. Avec vos amis de sexe opposé
12. Avec votre belle-mère, votre beau-père
13. Avec les enfants de votre conjoint, votre conjointe
14. Avec votre dentiste
15. Avec votre avocate
16. Avec votre thérapeute
17. Avec votre banquier

on se parle / on ne se parle pas
on se dispute / on ne se dispute pas
on s'écrit / on ne s'écrit pas
on se voit / on ne se voit pas
on se respecte / on ne se respecte pas
on s'aime / on ne s'aime pas
on se fait confiance / on ne se fait pas confiance
on se salue / on ne se salue pas
on s'offre des cadeaux / on ne s'offre pas de cadeaux
on s'ignore / on ne s'ignore pas
on s'adresse la parole / on ne s'adresse pas la parole
on s'entend / on ne s'entend pas
on se parle au téléphone / on ne se parle pas au téléphone
on s'aide / on ne s'aide pas
on s'entend bien / on ne s'entend pas bien
on se dit tout / on ne se dit pas tout
on se protège / on ne se protège pas

8

Objectifs grammaticaux	Objectif de communication
Les verbes pronominaux	Décrire un problème de santé
Le passé composé	au médecin.

À l'hôpital

A. Des malades expliquent leurs problèmes de santé au médecin. Comme dans l'exemple, complétez les énoncés suivants à l'aide des verbes pronominaux dans la colonne de droite et conjuguez-les au passé composé.

> **Exemple :** **Fracture de la cheville**
> Je crois que je **me suis fracturé** la cheville.

se fracturer
se brûler
se blesser
se faire mal
s'empoisonner
se couper
se casser
se fêler
se claquer
se prendre

1. **Brûlure à l'eau bouillante**

   Mon garçon _____ la main avec de l'eau bouillante.

2. **Blessure à la tête**

   Je _____ à la tête en tombant de ma bicyclette.

3. **Empoisonnement**

   Mon mari a très mal au ventre, je crois qu'il _____

   _____. Peut-être aux fruits de mer.

   Hier, nous sommes allés au restaurant et il se sent mal depuis.

4. **Orteil cassé**

   Maman ! Je_____au pied !

   Je _____ le gros orteil dans la porte ! Ayoye !

5. **Coupure au pied**

   Je_____ au pied avec une scie, au travail.

6. **Bras cassé**

   Mon fils _____ le bras, hier, au match de football.

7. **Orteil fêlé**

   Ma femme _____ un orteil, en tombant pieds nus dans l'escalier.

8. **Muscle étiré**

   C'est regrettable. Ma copine Luce _____ un muscle de la jambe droite, hier, en faisant du vélo.

Bon courage !
Ça passera !
Ce n'est rien.
Prends soin de toi.
Fais attention à toi.
Tu t'en remettras.
Pauvre toi / lui / elle !
Lâche pas !
Ce n'est pas grave.
Ne t'en fais pas.
Prends ça doucement.

Les verbes pronominaux
Le passé composé
Les formes affirmative et négative

Tableau d'entraînement

Tableau 1

Complétez le tableau en conjuguant le verbe pronominal à la forme affirmative ou à la forme négative. Suivez l'exemple.

Forme affirmative	Forme négative
Exemple : *Je me suis levé.*	*Je ne me suis pas levé.*
1.	Ils ne se sont pas présentés.
2. Il s'est couché.	
3.	On ne s'en est pas rendu compte.
4. Vous vous êtes assis.	
5. Je me suis réveillé.	
6.	Tu ne t'es pas blessée.
7. Nous nous sommes promenés.	
8.	Vous ne vous êtes pas renseignés.
9. Elles se sont dépêchées.	
10. Je me suis informé.	
11.	Il ne s'est pas préparé.
12. Je me suis levé.	
13. Tu t'es habillé.	
14. Vous vous êtes endormis.	
15.	Ils ne s'y sont pas habitués.
16. Je me suis décidé à le faire.	
17.	Tu ne t'es pas trompé.
18. Elle s'est installée là-bas.	
19. Nous nous y sommes promenés.	
20. Tu t'es ennuyé.	

Les verbes pronominaux
L'infinitif pronominal
Les formes affirmative et négative

Tableau d'entraînement

Tableau 2

Complétez le tableau à l'aide de verbes pronominaux à l'infinitif, à la forme affirmative ou à la forme négative. Suivez l'exemple.

Forme affirmative	Forme négative
Exemple : *Je vais me reposer.*	*Je ne vais pas me reposer.*
1. Nous allons nous promener.	
2.	Tu ne vas pas te renseigner ?
3. Vous voulez vous asseoir là ?	
4. Il va se perdre.	
5.	Nous ne pouvons pas nous dépêcher.
6. On doit s'inscrire à l'avance.	
7.	Vous n'allez pas vous coucher.
8. Je veux m'acheter un chat.	
9. Vous devez vous présenter.	
10.	Tu ne veux pas t'endormir ?
11. Je vais me lever de bonne heure.	
12.	Ils ne vont pas se lever à 7 heures.
13.	Nous ne voulons pas nous rapprocher.
14. Vous aimeriez vous reposer ?	
15. Tu vas te rendre là.	
16.	Vous ne devez pas vous occuper de ce projet.
17. Ils peuvent s'habiller.	
18. Elle doit s'habituer à sa présence.	
19.	Ils ne vont pas se rencontrer.
20. Vous pouvez vous détendre.	

Les verbes pronominaux
Le passé composé
Les formes interrogatives, affirmative
et négative

Tableau d'entraînement

Tableau **3**

Complétez le tableau à l'aide de verbes pronominaux au passé composé, soit à la forme interrogative (colonne de gauche), soit aux formes affirmative ou négative (colonne de droite). Suivez l'exemple.

Forme interrogative	Forme affirmative ou négative
Exemple : *Vous êtes-vous inscrite ?*	*Oui, je me suis inscrite.*
1. T'es-tu procuré les billets ?	Oui,
2. Vous êtes-vous renseigné ?	Non,
3.	Oui, je me suis occupé de tout.
4.	Non, nous ne nous sommes pas écrit.
5. T'es-tu préparé ?	Oui,
6. Vous êtes-vous endormi ?	Non,
7.	Non, je ne m'en suis pas rendu compte.
8. Vous êtes-vous habitué à ce quartier ?	Oui,
9.	Non, nous ne nous sommes pas arrêtés.
10.	Oui, je me suis rendu chez elle.
11. Se sont-ils servi du dessert ?	Oui,
12. T'es-tu reposée pendant tes vacances ?	Non,
13. Vous êtes-vous amusés ?	Non,
14. S'est-il ennuyé ?	Oui,
15.	Oui, je me suis couché de bonne heure.
16. S'est-elle énervée ?	Non,
17.	Oui, nous nous sommes excusés.
18. Se sont-elles déguisées ?	Oui,
19. T'es-tu fait mal ?	Non,
20.	Non, on ne s'est pas trompés.

Tableau d'entraînement

Les verbes pronominaux
L'impératif
Les formes affirmative et négative
Le verbe à l'impératif + complément

Tableau **4**

Complétez le tableau, comme dans l'exemple.

	Informe-toi.	*Ne t'informe pas.*
Exemple :		
1. Assoyez-vous.		
2.		Ne t'installe pas.
3.		Ne vous renseignez pas.
4. Levez-vous.		
5. Assois-toi.		
6. Dépêchez-vous.		
7.		Ne te retire pas.
8. Procure-toi le formulaire.		
9. Rendez-vous à la salle B.		
10.		Ne te montre pas.
11. Reposez-vous.		
12.		Ne te déguise pas.
13. Informe-toi.		
14. Promenez-vous.		
15.		Ne vous installez pas.
16. Prépare-toi.		
17. Retournez-vous.		
18.		Ne t'absente pas.
19.		Ne vous occupez pas de ça.
20.		Ne te jette pas à l'eau.

9 Le conditionnel présent

TABLE DES MATIÈRES

Tableau grammatical

Le conditionnel présent

A. Formation

1. Le conditionnel présent suit les mêmes règles de formation que le futur simple (voir tableau grammatical, page 139). Seules les terminaisons changent : au conditionnel, le **r** est suivi des terminaisons de l'imparfait.

		Terminaisons du **futur simple**		Terminaisons du **conditionnel présent**	
		Écrite	Prononcée	Écrite	Prononcée
Exemple :	mange	–RAI	/re/	–RAIS	/rɛ/
		–RAS	/ra/	–RAIS	/rɛ/
		–RA	/ra/	–RAIT	/rɛ/
		–RONS	/rɔ̃/	–RIONS	/rjɔ̃/
		–REZ	/re/	–RIEZ	/rje/
		–RONT	/rɔ̃/	–RAIENT	/rɛ/

B. Emploi

1. On utilise souvent le conditionnel présent pour formuler une demande poliment.

Verbes		**Verbes**	
Avoir	Aurais-tu... ?	**Aimer**	Aimerais-tu... ?
	Auriez-vous... ?		Aimeriez-vous... ?
			J'aimerais + infinitif
Vouloir	Voudrais-tu... ?	**Pouvoir**	Pourrais-tu... ?
	Voudriez-vous... ?		Pourriez-vous... ?

2. On utilise souvent le conditionnel présent pour atténuer un refus.

J'aurais bien envie...
J'aimerais bien, mais... (malheureusement...)
Je voudrais...
Ça me plairait beaucoup...

3. On utilise souvent le conditionnel présent pour exprimer un souhait.

J'aimerais, je souhaiterais, je voudrais (bien, beaucoup, énormément),
ça me tenterait

4. On utilise souvent le conditionnel présent pour proposer une solution ou faire une suggestion.

> Dans ce cas-là,...
> À ta place, moi je...   + **conditionnel présent**
> Si j'étais toi, moi je...

Il faudrait...
On pourrait...
On devrait...

Exemple : On **devrait** consulter Philippe pour le graphisme.

5. On utilise souvent le conditionnel présent dans les hypothèses. Il est alors accompagné de l'imparfait précédé de *si*.

> *Si* + imparfait + conditionnel présent
> **Conditionnel présent** + *si* + **imparfait**

Exemple : Si j'avais un voilier, je **ferais** le tour du monde.

6. Discours rapporté au passé

Discours direct →	**Discours rapporté**
FUTUR	PASSÉ COMPOSÉ
	+ CONDITIONNEL PRÉSENT

Exemple :

Phil : « Cet été, nous **irons** au bord de la mer. » (Phil parlait à son collègue William.)	Phil **a dit** à William que, cet été, ils **iraient** au bord de la mer.

Renseignements utiles

A. Demandez des renseignements en utilisant le conditionnel présent de politesse.
Utilisez les structures proposées dans l'encadré, comme dans l'exemple :

Pourriez-vous me dire + où, comment, quand, à quelle heure...

Pourriez-vous me dire + nom

J'aimerais savoir + où, comment, quand, à quelle heure...

J'aimerais savoir + nom

Je voudrais savoir + où, comment, quand, à quelle heure...

Je voudrais savoir + nom

Auriez-vous la gentillesse de me dire où, comment, quand, à quelle heure...

Auriez-vous la gentillesse de me dire + nom

Auriez-vous + nom

Exemple : L'heure. Auriez-vous l'heure ?

1. L'heure de départ du train pour Ottawa

2. L'adresse du ministère de l'Éducation

3. Les toilettes

4. Le numéro de téléphone de la Place des Arts

5. Le prix d'un billet de cinéma

6. La possibilité de payer avec une carte de crédit

7. Le nom du responsable des objets trouvés

8. La rue de l'Église

9. Une cabine téléphonique

10. Le prix d'un billet d'avion pour Londres

Souhaits

A. Lisez d'abord les phrases suivantes. En équipes, commentez-les et exprimez vos propres souhaits. Utilisez le conditionnel présent en suivant les modèles proposés.

- J'aimerais piloter un avion.
- J'aimerais conduire une voiture de course.
- Ce que je souhaiterais le plus au monde, ce serait participer aux Jeux olympiques.
- J'aimerais avoir un voilier.
- Ce serait merveilleux de faire le tour du monde.
- J'aimerais apprendre à nager.
- J'aimerais écrire un roman.
- Pour rien au monde, je n'aimerais être roi ou reine.
- Ça me dirait de faire une balade en montgolfière.
- Je désirerais vivre à la campagne.
- Mon plus grand souhait, ce serait de vivre dans un pays chaud.
- Je n'aimerais surtout pas faire du camping.
- Ce que je désirerais le plus, ce serait faire un long voyage autour du monde.
- J'aimerais beaucoup être un comédien célèbre.
- Je raffolerais d'une semaine en croisière dans les Caraïbes.
- J'aimerais pouvoir me consacrer à des œuvres de charité, me dévouer pour les autres.
- Ça me tenterait d'arrêter de travailler!
- J'apprécierais beaucoup la compagnie d'un animal domestique, ça pourrait être un chien ou un chat.
- Je n'aimerais pas me perdre en forêt.
- Ce serait tellement beau s'il n'y avait plus de conflits armés dans le monde.
- J'aimerais partir en vacances quatre fois par année : en automne, en hiver, au printemps et en été.
- J'aurais envie d'assister à une soirée de gala, la remise des oscars à Hollywood, par exemple, ou le festival de Cannes.

B. Lisez les souhaits suivants, puis formulez-les différemment, comme dans l'exemple.

> Exemple : Je **ferais** venir une pizza. J'**aimerais** manger une pizza.

1. Ça me dirait d'aller au cinéma.

_____

2. J'arrêterais un peu pour me reposer, ça fait cinq heures qu'on roule.

_____

3. Je prendrais une bonne crème glacée au chocolat.

_____

4. Nous souhaiterions connaître tes amis.

_____

5. J'irais faire un tour à bicyclette.

_____

6. Je mangerais quelque chose de léger, une salade, par exemple.

_____

7. Je donnerais un autre coup, comme ça tout serait fini avant la nuit.

_____

8. Je ferais bien une partie du travail maintenant.

_____

9. Nous aimerions dormir à la belle étoile.

_____

10. Je sortirais un peu, moi, même s'il fait froid.

_____

11. On aimerait bien recevoir la documentation avant notre départ.

_____

12. Je finirais ce soir, mais il est tellement tard !

_____

Objectifs grammaticaux
Le conditionnel présent
Les verbes auxiliaires modaux
devoir, falloir, pouvoir + infinitif

Objectif de communication
Proposer une solution.

Solutions

A. Proposez des solutions à l'aide du conditionnel présent, en utilisant les structures de l'encadré, comme dans l'exemple.

> Tu devrais...　　Tu pourrais...　　Il faudrait...
> Vous devriez...　　Vous pourriez...　　Ce serait bien de...
>
> **+ infinitif**

Exemple ⦂ Mon appartement n'est pas assez chauffé. ➤ vérifier les thermostats
Tu devrais vérifier les thermostats.

1. Ma voiture fait un bruit étrange. ➤ la laisser chez le garagiste

_____

2. J'ai mal à la tête depuis une semaine. ➤ aller chez le médecin

_____

3. Le robinet coule. ➤ appeler un plombier

_____

4. Je suis tellement fatiguée ! ➤ prendre congé

_____

5. Je ne sais pas à quelle heure part l'avion. ➤ vérifier auprès de la compagnie aérienne

_____

6. Mon voisin fait tellement de bruit. ➤ acheter des bouchons pour les oreilles

_____

7. J'ai un problème d'ordinateur. ➤ consulter un technicien

_____

8. J'ai acheté une télé, mais elle ne fonctionne pas. ➤ la changer

_____

9. Ma fille de 13 ans veut rentrer à 5 heures du matin. ➤ lui dire de rentrer plus tôt

_____

10. J'ai très mal à une dent. ➤ aller chez le dentiste

_____

11. Nous ne pouvons pas dormir. ➤ ne pas prendre de café

_____

12. Nous habitons trop loin du centre-ville. ➤ déménager plus près

_____

13. Je n'arrive pas à comprendre les verbes ! ➤ étudier

_____

14. Mon copain est toujours en retard. ➤ lui acheter une montre

_____

15. Je dépense beaucoup d'argent dans les restaurants. ➤ apporter un repas préparé d'avance

_____

4

Objectif grammatical
Le conditionnel présent

Objectif de communication
Formuler une suggestion,
donner un conseil.

Suggestions

A. Donnez des suggestions à la personne qui parle dans les phrases suivantes. Utilisez les expressions proposées dans l'encadré pour introduire des verbes au conditionnel présent.

> Moi, à ta / sa place, je...
> Moi, ce que je ferais, ce serait...
> Si j'étais toi / lui, je...

Exemple : Je pense que je vais prendre   **Moi, à ta place, je prendrais ma voiture.**
l'autobus pour aller à Trois-Rivières.

1. Cette fin de semaine, nous allons à Québec. _____

2. Je sors vers 16 heures. _____

3. J'ai décidé de m'inscrire à un cours d'informatique. _____

4. Je vais m'acheter un petit chien. _____

5. Nous avons décidé de faire des rénovations cet été. _____

6. Je change d'emploi. _____

7. Je suppose qu'il achètera une voiture neuve. _____

8. Je prends la rouge, je n'aime pas la verte. _____

9. Je vais lui écrire une lettre d'excuses. _____

10. Je ne m'inscris pas au cours finalement. _____

11. Cet été, je pars à la campagne. _____

5

Objectifs grammaticaux
Le conditionnel présent
Le futur simple
L'infinitif

Objectif de communication
Laisser un message par téléphone.

Messages

A. À l'aide des expressions de politesse proposées dans l'encadré, construisez des messages que vous laisseriez à une personne qui ne peut pas répondre au téléphone. Vous devrez utiliser les structures de l'encadré en choisissant celle qui correspond le mieux à la situation.

> Pourriez-vous lui dire que...   Auriez-vous la gentillesse de lui dire que...
> Pourriez-vous lui faire le message suivant...   Auriez-vous l'amabilité de lui dire que...
> Voudriez-vous lui dire que...   J'aurais un message pour elle...
> Serait-il possible de lui faire savoir que...   J'aimerais lui dire que...   **+ futur simple**
>
> J'aimerais lui dire de...   **+ infinitif**
> Pourriez-vous lui dire de...   **+ infinitif**

Exemple :   pas de réunion   le 20 mars prochain
Pourriez-vous lui dire qu'il n'y aura pas de réunion le 20 mars prochain ?

MESSAGES   **MOMENTS**

1. école fermée   la semaine prochaine

_____

_____

2. ne pas pouvoir aller au théâtre avec Sylvie   dans deux semaines
à cause de mon travail

_____

_____

3. passer réparer le téléviseur   demain soir

_____

_____

4. dîner reporté   samedi prochain

_____

_____

MOMENTS

5. travail remis

avant la fin du mois

_____

_____

6. Francine en ville

la fin de semaine prochaine

_____

_____

7. Nicolas et Isidore occupés

tout l'avant-midi

_____

_____

8. cours, recommencer

plus tard, en septembre

_____

_____

9. apporter disques

ce soir

_____

_____

10. retourner des livres à Boris

vendredi prochain

_____

_____

11. amener les enfants à la piscine

cet après-midi

_____

_____

12. aller chercher du jus et des croustilles

le plus tôt possible

_____

_____

Objectifs grammaticaux
Le conditionnel présent
Les verbes auxiliaires modaux
devoir, pouvoir, falloir + infinitif

Objectif de communication
Trouver des solutions à un problème.

Entrevues

A. Donnez votre opinion à propos des problèmes décrits ci-dessous. Utilisez le conditionnel présent pour exposer vos arguments. Les expressions proposées dans l'encadré pourraient vous être utiles.

> Il serait nécessaire de...   Il vaudrait mieux...   On pourrait...
> Il serait important de...   Il faudrait...   On devrait...
>
> **+ infinitif**

1   Pollution

La pollution des lacs est un phénomène alarmant. Le ministre de l'Environnement va prendre les mesures suivantes :

- imposer des amendes allant jusqu'à 10 000 $ aux compagnies polluantes ;
- organiser des réunions d'information auprès de la population ;
- essayer de convaincre les compagnies polluantes de ne pas jeter leurs déchets dans les lacs.

Que feriez-vous à la place du gouvernement ?

_____
_____
_____
_____
_____
_____

2   Éducation

L'éducation est en crise. Un grand pourcentage d'élèves ne finissent pas leur cours secondaire.
Voici quelques exemples de solutions :

- ouvrir l'école aux parents ;
- changer les programmes d'études ;
- baisser la note de passage pour permettre à un plus grand nombre d'élèves de réussir ;
- renforcer la discipline ;
- demander l'avis des élèves.

Qu'est-ce que vous feriez pour remédier à cette situation ?

_____
_____
_____
_____
_____
_____

Objectif grammatical
Le conditionnel présent

Objectif de communication
Exprimer une éventualité.

Situations embarrassantes

A. Regardez les images et dites ce que vous feriez dans les situations illustrées.
Utilisez le conditionnel présent, comme dans l'exemple.

Exemple :

Moi, à la place de la dame, je me **jetterais** à l'eau pour essayer de sauver cette personne.

1. Moi, à la place de la dame qui se fait voler son sac, je... _____

_____

_____

_____

2. Moi, à la place du policier, je...

_____

_____

_____

_____

_____

3. Moi, à leur place, je... _____

_____

_____

_____

4. Moi, à la place du maître, je...

_____

_____

_____

5. Moi, à leur place, je...

_____

_____

_____

6. Moi, à la place du voisin du rez-de-chaussée, je...

_____

_____

_____

_____

Objectifs grammaticaux
Le conditionnel présent
L'hypothèse : *si* + imparfait
+ conditionnel présent

Objectif de communication
Exprimer un fait hypothétique.

Mal pris

A. Lisez les situations suivantes et discutez-en en équipes. Dites quelles seraient les conditions qui produiraient des changements dans la vie des personnes mentionnées. Formulez des hypothèses à ce sujet, comme dans l'exemple.

Exemple : **S'il travaillait moins, il serait plus heureux.**

TOUT VA MAL...

Jean-François ne sait pas quoi faire de sa vie. Il passe ses journées à regarder la télévision. Il n'a pas de travail stable. Il vivote. Il fait des travaux de rénovation de temps en temps. Il n'a pas fini l'école secondaire. Il n'est pas discipliné. Il abandonne tout ce qu'il entreprend. Il vit seul, dans un petit appartement. Tout traîne. Quand il n'a pas d'argent, il demande de l'aide à ses parents. Il aime aller au casino et manger au restaurant. Souvent, il pense à déménager dans un pays chaud. Il a un enfant, mais il ne le voit presque jamais. Il n'est pas heureux.

PROBLÈMES FINANCIERS

Mei et Marcel ont des problèmes financiers : Marcel vient de perdre son travail et il pense à installer un bureau à la maison, mais Mei n'aime pas tellement cette idée, car elle travaille à la maison. Cependant, son revenu n'est pas assez élevé. Le couple a une maison en banlieue et deux voitures de l'année. Il y a quatre ans, ils ont fait l'acquisition d'un chalet. Les enfants du couple fréquentent une école privée. Mei aime les vêtements griffés. Marcel, quant à lui, aime collectionner des œuvres d'art. Le couple a l'habitude de manger au restaurant au moins deux fois par semaine. Tous les ans, ils partent en vacances au bord de la mer, en général en Floride.

PROFESSION ?
MÈRE DE QUATRE ENFANTS !

Maureen a quatre enfants, âgés de 2 ans, 5 ans, 10 ans et 13 ans. Elle ne travaille plus à l'extérieur depuis qu'elle a eu son troisième enfant. Elle passe ses journées à la maison, en banlieue. Elle s'occupe des tâches ménagères. Lorsque les enfants arrivent de l'école, elle les aide à faire leurs devoirs. Elle a pensé envoyer le plus jeune à la garderie, mais a rejeté cette idée. Elle croit que c'est son devoir de s'occuper de son enfant, puisqu'elle ne travaille pas à l'extérieur. Comme son mari prend la voiture pour aller travailler, elle passe beaucoup de temps à la maison. L'année dernière, elle a commencé des cours d'informatique à l'université, car elle songeait à réorienter sa carrière. Mais elle a abandonné, faute de temps. Maureen n'est pas bien dans sa peau. Elle aimerait changer des choses dans sa vie, mais elle se sentirait coupable de le faire.

Objectifs grammaticaux

Le conditionnel présent

L'imparfait

L'hypothèse : *si* + imparfait + conditionnel présent

Objectif de communication

Exprimer un choix hypothétique.

Si j'étais... je serais...

A. En équipes, dites ce que ou qui vous seriez si vous aviez le choix. Utilisez la structure proposée, comme dans l'exemple.

> **Si j'étais... je serais... parce que...**

Exemple : **Si j'étais** une plante, **je serais** un rosier **parce que** ses fleurs sont parfumées et délicates.

une plante
un animal
un vêtement
un fruit
un dessert
une saison
un moyen de transport
une mer
une partie du corps
un livre
un chef d'État
un air de musique
un pays
un jour de la semaine
un sentiment
une ville
un arbre
une fleur
une planète

une pierre
un fleuve
un oiseau
un peintre, une peintre
un sport
une odeur
une pièce de la maison
une période de l'histoire
un comédien, une comédienne
un mois de l'année
un chanteur, une chanteuse
un quartier de Montréal ou de Québec
un groupe rock
une couleur
un film
un élément (air, feu, eau, terre)
un moment de la journée

10

Objectif grammatical
L'hypothèse : *si* + imparfait
+ conditionnel présent

Objectif de communication
Exprimer une relation de cause à effet
en formulant une hypothèse.

Hypothèses

A. Complétez les dialogues avec une hypothèse. Utilisez la structure proposée, comme dans l'exemple.

> *Si* **+ imparfait + conditionnel présent**

Exemple : — Alors, vous allez acheter la maison que vous avez visitée ?
— Non, nous n'avons pas assez d'argent.
— **Mais si vous aviez de l'argent, vous l'achèteriez ?**
— Oui, peut-être.

1. — Alors, on sort ce soir ?
— Non, je ne veux pas sortir. Il fait trop froid.

— Mais si _____ ?

2. — Tu prends une bière ?
— Je ne peux pas boire d'alcool parce que je suis enceinte.

— Mais si _____ ?
— Oui, bien sûr, j'aime bien boire une bière de temps en temps.

3. — Monsieur le maire, est-ce vrai que le Casino de Montréal fermera ses portes ?
— Oui, car le jeu provoque des problèmes psychologiques.

— Mais si _____ ?

4. — Nous ne pouvons pas résoudre le problème des embouteillages sur les ponts parce que les gens refusent de participer à des programmes tels que le covoiturage.
— Mais si _____ ?

— Oui, c'est un fait que si _____

_____.

5. — On va faire du ski en fin de semaine ?

— Non, je n'ai pas d'équipement.

— Mais si _____ ?

— Oui.

6. — J'aimerais t'inviter à passer une fin de semaine à la campagne, près de Bromont.

— Impossible, je ne peux pas laisser mon chat tout seul.

— Mais si _____ ?

7. — Tu pourrais recevoir Léopold chez toi, cet été ?

— Non, je ne crois pas, je n'ai pas assez d'espace. C'est trop petit chez moi.

— Mais si _____ ?

8. — Je ne fume plus.

— Pourquoi ?

— Parce que je souffre d'asthme.

— Mais si _____ ?

9. — J'ai envie de prendre des vacances en même temps que mon mari.

— Comment, vous ne le faites pas ?

— C'est impossible, nos horaires sont trop différents.

— Mais si _____ ?

10. — Viens-tu magasiner en ville cet après-midi ?

— Non, je ne peux pas. J'attends la livraison d'un gros meuble chez moi.

— Mais si _____ ?

11. — Est-ce que ta fille est libre jeudi soir ? Nous sortons et je dois trouver quelqu'un pour garder les enfants.

— Hmm, je ne sais pas. Je crois qu'elle a beaucoup de devoirs.

— Mais si _____ ?

12. — C'est fait, vous déménagez samedi ?

— Non, c'est impossible. On n'a pas trouvé de camion à louer.

— Mais si _____ ?

— Alors, là, oui !

Objectifs grammaticaux
Le conditionnel présent
L'hypothèse : *si* + imparfait
+ conditionnel présent

Objectif de communication
Exprimer une opinion.

À leur âge !

A. Lisez l'article. Cochez ensuite les opinions de votre choix à la page suivante et expliquez votre position.

Ensemble, ils ont 167 ans, et elle doit s'enfuir pour l'épouser

Lentini, Italie (AFP) – Une veuve de 77 ans a dû échapper à sa famille pour pouvoir épouser son fiancé, un veuf de 90 ans, en raison de l'opposition de leurs enfants respectifs.

Cette *love story* s'est déroulée à Lentini, petite ville près de Syracuse en Sicile, où les habitants se sont partagés entre partisans – qui iront au mariage à l'église le 21 janvier prochain – et adversaires de ce coup de foudre.

Alfio Fiamma, deux fois veuf, cinq enfants et de nombreux petits-enfants, s'ennuyait depuis le décès de sa seconde épouse, l'automne dernier. Refusant sa solitude, il a fait appel à une «marieuse» pour trouver une compagne.

Giuseppa Scandurra, veuve, cinq enfants également, a été séduite dès leur première rencontre, en décembre. Suffisamment pour accepter le projet d'une nouvelle vie à deux, et pour s'enfuir de chez elle avec une petite valise, après avoir constaté l'opposition de toute sa famille.

« Ils font les moralisateurs, mais avant ça ne les gênait pas de me laisser seule entre quatre murs », commente-t-elle. Et lui surenchérit : «Nous nous aimons vraiment. Pourquoi faudrait-il se sacrifier aux préjugés et renoncer à vivre pleinement notre vie ? »

Pour remplacer les parents qui bouderont leur mariage, le nouveau couple a invité à la cérémonie « tous ceux qui ont envie de s'amuser et faire la fête ».

	OUI	NON

1. Les enfants de ces deux personnes âgées devraient tout faire pour empêcher le mariage.

2. Les enfants de ces deux personnes âgées devraient respecter le choix de leurs parents.

3. Les enfants de ces deux personnes âgées devraient demander des explications à leurs parents respectifs.

4. Ces deux personnes âgées devraient tenir un conseil de famille avant de poser un tel geste.

5. Ces deux personnes âgées devraient s'enfuir sans donner d'explication à personne.

6. Ces deux personnes âgées devraient être plus raisonnables car, à cet âge-là, on ne se marie pas.

7. Ces deux personnes âgées ne devraient pas unir leurs situations financières.

8. Ces deux personnes âgées devraient demander l'avis d'un avocat avant de se marier.

9. Ces deux personnes âgées devraient demander l'avis d'un médecin avant de se marier.

10. Les agences de rencontres devraient refuser les demandes des personnes âgées de plus de 70 ans.

B. En groupes, discutez des hypothèses suivantes. Utilisez le conditionnel présent autant de fois qu'il vous sera possible de le faire.

Comment réagiriez-vous…

1. …si l'un de vos parents vous annonçait son mariage ?

2. …si vos parents divorçaient après 40 ou 50 ans de mariage ?

3. …si l'un de vos parents refusait d'aller au centre d'accueil ?

4. …si vos parents refusaient de se faire soigner ?

5. …si vos parents vous déshéritaient en faveur d'un frère ou d'une sœur ?

6. …si vos parents faisaient de mauvais placements ?

7. …si vos parents décidaient d'avoir un enfant par insémination artificielle ?

8. …si vos parents décidaient d'adopter un enfant ?

9. …si vos parents gagnaient à la loterie ?

10. ….si l'un de vos parents demandait d'aller vivre chez vous ?

12

Objectif grammatical
Les verbes au conditionnel présent

Objectifs de communication
Comprendre les hypothèses dans
un texte.
Demander et donner des conseils.

Les jeux vidéo ont la cote

A. Lisez le texte, puis encerclez tous les verbes au conditionnel, comme dans l'exemple.

Internet n'est pas seulement le monde du commerce électronique, des messageries ou du clavardage ; c'est aussi celui des jeux virtuels qui regroupent en temps réel
5 plusieurs milliers de personnes dispersées dans le monde. On connaît tous quelqu'un qui passe de longues heures devant son ordinateur à jouer à de tels jeux.

Selon certains, ces jeux *entraîneraient*
10 l'isolement, la perte de contact avec la réalité et le décrochage scolaire. Plusieurs s'entendent pour affirmer qu'en général les utilisateurs ne développent pas de dépendance. « Ces jeux viennent pallier de
15 manière amusante les problèmes de certaines personnes qui ont de la difficulté à socialiser, estime Hugues Savoie, psychologue. Les joueurs ont déjà un problème à la source et trouveraient sans doute une
20 autre méthode de compensation si ce type de jeu n'existait pas. »

Quant aux jeunes qui s'intéressent aux jeux vidéo, leurs parents devraient surveiller de près leurs activités : ils devraient vérifier à quels types de personnages leur jeune 25 s'identifie. Éventuellement, ils pourraient déceler des problèmes psychologiques qui ne seraient pas la cause du jeu mais plutôt déclenchés par sa pratique.

Actuellement, les jeux virtuels sont uti- 30 lisés pour le divertissement. Mais on pourrait par exemple exploiter davantage leur formidable potentiel éducatif, en particulier auprès des jeunes. Ceux-ci pourraient développer avec ces jeux certaines habiletés 35 personnelles comme des compétences pour aborder un problème. On les mettrait dans des situations où ils auraient des choix à faire qui auraient un impact sur leurs personnages par la suite. Enfin, les jeux virtuels 40 pourraient également servir à s'entraîner à réagir à certaines situations de la vie professionnelle, comme en témoignent les simulateurs de vol.

Texte adapté du *Guide ressources*, mai 2005, p. 54-57.

B. Remplissez les blancs en conjuguant les verbes entre parenthèses au conditionnel présent.

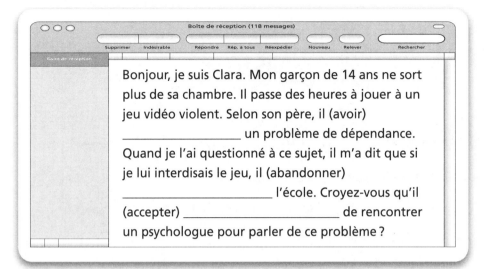

Bonjour, je suis Clara. Mon garçon de 14 ans ne sort plus de sa chambre. Il passe des heures à jouer à un jeu vidéo violent. Selon son père, il (avoir) _____ un problème de dépendance. Quand je l'ai questionné à ce sujet, il m'a dit que si je lui interdisais le jeu, il (abandonner) _____ l'école. Croyez-vous qu'il (accepter) _____ de rencontrer un psychologue pour parler de ce problème ?

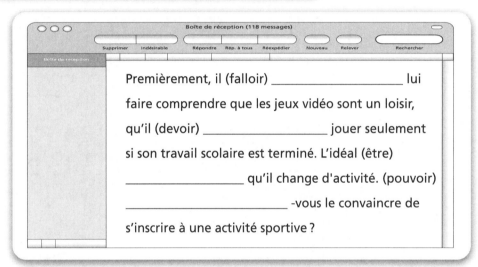

Premièrement, il (falloir) _____ lui faire comprendre que les jeux vidéo sont un loisir, qu'il (devoir) _____ jouer seulement si son travail scolaire est terminé. L'idéal (être) _____ qu'il change d'activité. (pouvoir) _____ -vous le convaincre de s'inscrire à une activité sportive ?

C. Imaginez une autre réponse pour Clara.

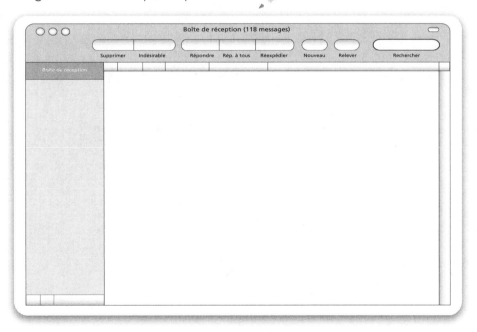

D. Voici un courriel d'un amateur de jeux vidéo. Répondez-lui.

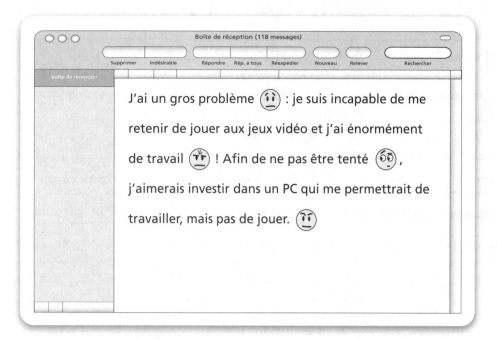

Réponse :

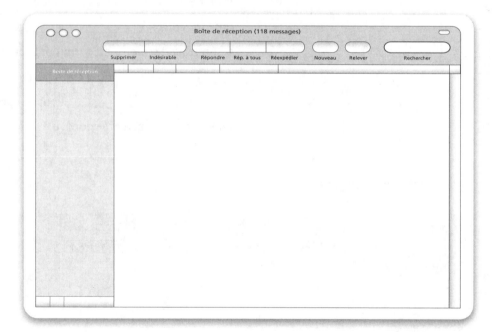

Tableau d'entraînement

Tableau 1

Complétez le tableau soit avec un verbe au conditionnel présent, soit avec un verbe à l'imparfait, comme dans l'exemple.

Conditionnel présent	Imparfait	Conditionnel présent	Imparfait
Exemple : *j'écouterais*	*j'écoutais*	*on se baignerait*	*on se baignait*
1.	nous achetions	je resterais	
2.	il marchait		je téléphonais
3.	nous aimions	nous préparerions	
4.	elle jouait		elle ajoutait
5.	vous sortiez		ils se couchaient
6. ils travailleraient		je me renseignerais	
7. on chanterait			je jouais
8.	nous traversions	on dessinerait	
9. il passerait			vous invitiez
10. ils se lèveraient			j'ouvrais
11. tu aiderais		je me reposerais	
12.	il regardait		il appelait
13. nous dormirions		ils arriveraient	
14. vous entreriez		nous imaginerions	
15.	il partait		on allumait
16. on recommanderait			ils investissaient
17.	je quittais	je souhaiterais	
18. tu te dépêcherais		elle assumerait	
19. nous jardinerions			vous cherchiez
20. vous vous dépêcheriez			il assistait

Tableau d'entraînement

Tableau 2

Complétez le tableau à l'aide de verbes au conditionnel présent ou au futur simple, comme dans l'exemple.

Conditionnel présent	Futur simple
Exemple : *nous aurions*	*nous aurons*
1. je ferais	
2.	vous serez
3. il viendrait	
4.	je conduirai
5.	ils aideront
6. nous inviterions	
7.	il sortira
8. vous aimeriez	
9.	nous répondrons
10. on irait	
11.	vous arriverez
12. je boirais	
13. vous vendriez	
14.	ils descendront
15.	nous resterons
16. elle se souviendrait	
17.	je magasinerai
18. nous essaierions	
19. on voudrait	
20.	je rénoverai

Le conditionnel présent
Les verbes dont la racine change au futur
et au conditionnel
L'imparfait

Tableau d'entraînement

Tableau 3

Complétez le tableau à l'aide de verbes au conditionnel présent ou à l'imparfait, comme dans l'exemple.

Conditionnel présent	Imparfait
Exemple : *je serais*	*j'étais*
1. nous enverrions	
2. il ferait	
3.	on voyait
4. vous devriez	
5. il faudrait	
6.	tu courais
7. elle pourrait	
8.	j'avais
9. il pleuvrait	
10. nous pourrions	
11.	ils devaient
12.	nous étions
13. ils auraient	
14. elle irait	
15.	vous veniez
16. je voudrais	
17.	ils recevaient
18.	vous saviez
19. je m'assoirais	
20. ça vaudrait	

Tableau d'entraînement

Tableau **4**

Complétez le tableau, à l'aide de verbes au conditionnel présent à la forme interrogative,
à la deuxième personne du singulier ou du pluriel. Suivez l'exemple.

TU	VOUS
Exemple : *Accepterais-tu ?*	*Accepteriez-vous ?*
1. Viendrais- _____ chez moi ?	
2. Me prêterais- _____ la voiture ?	
3.	Feriez- _____ un effort ?
4.	Pourriez- _____ me passer le dictionnaire ?
5. Irais- _____ avec moi ?	
6.	Passeriez- _____ me voir ?
7.	Achèteriez- _____ cette maison ?
8. Prendrais- _____ un bain ?	
9.	Aimeriez- _____ sortir ?
10. Souhaiterais- _____ aller au cinéma ?	
11. Voudrais- _____ manger au restaurant ?	
12.	Prépareriez- _____ le repas ?
13. Me dirais- _____ la vérité ?	
14.	Me donneriez- _____ le renseignement ?
15.	Traduiriez-vous ce passage ?
16. Serais-tu disponible demain ?	
17.	Enverriez-vous ce message aujourd'hui ?
18. Laisserais-tu la porte ouverte ?	
19.	Dîneriez-vous avec nous samedi prochain ?
20. Annoncerais-tu la nouvelle à ton copain ?	

Le conditionnel présent
L'imparfait
Les verbes du 2e groupe

Tableau d'entraînement

Tableau 5

Complétez le tableau à l'aide de verbes du deuxième groupe au conditionnel présent ou à l'imparfait, selon le cas.

Conditionnel présent	Imparfait
Exemple : *on choisirait*	*on choisissait*
1. je finirais	
2. nous investirions	
3.	je grossissais
4. vous avertiriez	
5. on établirait	
6.	nous nous appauvrissions
7.	on se réunissait
8. tu applaudirais	
9. il envahirait	
10.	vous définissiez
11. elle salirait	
12. nous réagirions	
13.	on remplissait
14. vous réussiriez	
15. elle obéirait	
16.	vous agissiez
17. je fournirais	
18. il vieillirait	
19.	nous réfléchissions
20. je convertirais	

Tableau d'entraînement

Tableau **6**

En utilisant le conditionnel, refusez poliment, comme dans l'exemple.

Exemple : *Tu me téléphones cet après-midi ?*	*Je te téléphonerais bien, mais je ne serai pas en ville.*
1. Alors, vous venez samedi prochain ?	_____, mais j'ai un cours samedi. Donc, ce ne sera pas possible.
2. Tu m'apportes le résumé du cours ?	_____, mais j'ai été absent. Désolé.
3. Tu viens au cinéma avec moi ?	_____ , mais j'ai déjà vu ce film. Une autre fois ?
4. Une crème glacée ?	_____, mais je suis au régime.
5. Tu m'envoies tes coordonnées par courriel ?	_____ mes coordonnées, mais je déménage prochainement.
6. Vous allez faire ce travail ?	_____, mais je n'ai pas toutes les données nécessaires.
7. Tu vas repeindre le salon ?	_____, mais je n'aurai pas le temps cet été.
8. Tu pars faire le tour du monde ?	_____, mais je n'en ai pas les moyens.

Le conditionnel présent
L'imparfait
Les verbes du 3e groupe

Tableau d'entraînement

Tableau **7**

Complétez le tableau à l'aide de verbes au conditionnel présent ou à l'imparfait, selon le cas.

Conditionnel présent	Imparfait
Exemple : *on prendrait*	*on prenait*
1. il dirait	
2.	j'écrivais
3. nous lirions	
4.	vous attendiez
5.	elle répondait
6. on connaîtrait	
7. ils conduiraient	
8.	j'entendais
9.	vous descendiez
10. on se rendrait	
11. nous entendrions	
12.	je traduisais
13. elles comprendraient	
14.	je m'étendais
15.	vous offriez
16. je mettrais	
17.	nous appelions
18. nous servirions	
19.	je m'endormais
20. tu rendrais	

Le conditionnel présent
L'hypothèse : *si* + imparfait +
conditionnel présent
Le conditionnel présent + *si* + imparfait

Tableau d'entraînement

Tableau **8**

Complétez le tableau, comme dans l'exemple.

Si + imparfait + conditionnel présent	Conditionnel présent + *si* + imparfait
Exemple : *Si* tu *faisais* de l'exercice,	tu *serais* en meilleure forme.
1. S'il arrêtait de neiger,	
2. Je présenterais une demande d'emploi	
3. Si le film était plus court,	
4.	je ne pourrais pas lui pardonner.
5. Si j'avais son numéro de téléphone,	
6. Vous feriez ce travail	
7. Si j'étais à ta place,	
8.	si j'avais une voiture.
9.	elle pourrait participer.
10. Si les jeunes de moins de 16 ans pouvaient conduire,	
11.	le syndicat ne serait pas obligé de proposer la grève.
12.	si la situation économique était meilleure.
13. Si l'hiver durait trois mois au lieu de six,	
14. Si j'obtenais cet emploi,	
15. Nous ne serions pas obligés de les attendre	
16. On pourrait aller à la pêche	
17. Si j'avais des notions de jardinage,	
18.	la planète se réchaufferait moins vite.
19. Si on portait des vêtements appropriés	
20.	les automobilistes seraient contents.

Tableau d'entraînement

Tableau **9**

Exprimez un refus en utilisant le conditionnel présent et l'imparfait après *si*, comme dans l'exemple.

Exemple :	Tu *viens* ce soir ?	Je (venir) *viendrais* bien si je (avoir, nég.) *n'avais pas* autant de travail.
1.	Alors, ce livre, tu l'**achètes** ?	_____ si j' (avoir) _____ du temps pour le lire.
2.	Alors, tu vas **faire** toi-même ta page Web ?	_____ si je (connaître) _____ le programme Flash.
3.	Tu **restes** à Toronto cette semaine ?	_____ si je (trouver) _____ une gardienne pour Oleg.
4.	Tu **vas** chez Pauline ce soir ?	_____ chez elle si elle (avoir, nég.) _____ de chats. Tu sais que je suis allergique.
5.	Tu **vas** voir l'opéra *Turandot* ?	J' _____ bien le voir si j' (obtenir) _____ de bons billets.
6.	Tu veux bien **garder** mon chat en fin de semaine ?	Je le _____ bien si mon chien (détester, nég.) _____ les chats. Désolé.
7.	Alors, cette maison, tu la **vends** ?	Je la _____ si le toit (couler, nég.) _____ .
8.	Vous **prenez** des vacances cet été ?	On en _____ bien si on (pouvoir) _____ se libérer.
9.	On va **faire** du ski, ça te tente ?	Je _____ du ski si je (travailler, nég.) _____ cette fin de semaine.

10 Le subjonctif présent

TABLE DES MATIÈRES

Tableau grammatical

Le subjonctif présent

A. Formation

Verbes réguliers

- Pour les 1re, 2e et 3e personnes du singulier, on forme le subjonctif à partir de la 3e personne du pluriel de l'indicatif. On ajoute au radical les terminaisons du présent de l'indicatif.

Indicatif présent	Subjonctif présent	
3e p. plur. : Ils attendent *attend*	Il faut que j'attend**e**	terminaisons du
	Il faut que tu attend**es**	présent de l'indicatif
	Il faut qu'il attend**e**	

- La 3e personne du pluriel est la même à l'indicatif et au subjonctif.
  Ils **attendent** = Il faut qu'ils **attendent**

- Les 1re et 2e personnes du pluriel prennent la forme de l'imparfait.
  Il faut que nous **attendions**
  Il faut que vous **attendiez**

B. Emploi

Quelques expressions introduisant le subjonctif :

Il faut que...
Il vaut mieux que...
Il (c') est (serait) nécessaire que...
Il (c') est (serait) important que...
Il (c') est (serait) essentiel que...
Il (c') est (serait) souhaitable que...
Il (c') est (serait) opportun que...
Il (c') est (serait) possible que...
Il (c') est (serait) inacceptable que...
Il (c') est (serait) incompréhensible que...

+ subjonctif

Je veux que...
Je souhaite que...
J'exige que...
Je demande que...

+ subjonctif

Objectifs grammaticaux
Les verbes au subjonctif présent
Le conditionnel présent
L'indicatif présent

Objectif de communication
Comprendre des faits divers.

Le réchauffement de la planète

A. Lisez les textes au sujet du réchauffement de la planète et dites si les verbes en caractères gras sont conjugués au présent de l'indicatif, au conditionnel présent ou au subjonctif présent.

Exemple

Manif contre le réchauffement de la planète

Les manifestants vont demander que le Canada **devienne** un leader en matière de lutte contre les changements climatiques. Ils veulent de plus que le pays **dépasse** les engagements du protocole de Kyoto, car ils estiment que la situation **demande** des mesures rapides.

Devienne : subjonctif présent
Dépasse : subjonctif présent
Demande : indicatif présent

1. L'entente de Kyoto exige que tous les pays signataires **réduisent** considérablement les gaz à effet de serre.

_____

2. Le réchauffement de la planète. Une étude confirme que le printemps **arrive** de plus en plus rapidement sous toutes les latitudes.

_____

3. Les États-Unis et l'Australie n'ont pas signé l'entente de Kyoto, car ils ont peur qu'elle **entraîne** des consé-quences négatives sur leur économie.

_____

4. Les chercheurs pensent que les oiseaux migrateurs **pourraient arriver** trop tôt dans certaines régions et manquer de nourriture.

_____

5. Il est incompréhensible que certains pays ne **prennent** pas ce problème au sérieux.

_____

6. La communauté scientifique est unanime : il faut que nous **contrôlions** les émissions polluantes.

_____

7. Le journaliste estime que plus de 15 000 personnes **participeraient** à la marche mondiale pour le climat, à Montréal. Les manifestants souhaitent que les gouvernements **agissent** rapidement pour contrer le réchauffement planétaire.

_____

_____

8. Greenpeace souligne que les rapports scientifiques **prévoient** une accélération du réchauffement de la planète.

_____

9. Il est vrai que les industries **contribuent** au réchauffement climatique. Mais les citoyens doivent assumer eux aussi leurs responsabilités. Il faut que chacun **intervienne** à son niveau. Nous pouvons, par exemple, utiliser les transports en commun au lieu de la voiture.

_____

_____

10. Les études démontrent que les températures sur la planète **augmentent** à cause de la pollution.

_____

B. Dans les 10 textes précédents, dites quelles expressions introduisent les verbes au subjonctif et lesquelles introduisent les verbes au conditionnel ou à l'indicatif. Suivez l'exemple.

Exemple :

Manif contre le réchauffement de la planète

Les manifestants vont **demander que** le Canada devienne un leader en matière de lutte aux changements climatiques. Ils **veulent de plus que** le pays dépasse les engagements du protocole de Kyoto, car ils **estiment que** la situation demande des mesures rapides.

Expressions qui introduisent le subjonctif	Expressions qui introduisent le conditionnel présent ou l'indicatif
demander que	vouloir que
	estimer que

1. _____   _____

2. _____   _____

3. _____   _____

4. _____   _____

5. _____   _____

6. _____   _____

7. _____   _____

   _____   _____

8. _____   _____

9. _____   _____

   _____   _____

10. _____   _____

2

Objectifs grammaticaux
Les verbes réguliers au subjonctif
Les expressions d'introduction

Objectif de communication
Exprimer une exigence, un souhait.

Le monde des ados

A. Voici des difficultés que les parents éprouvent souvent avec leurs enfants adolescents. Vous êtes psychologue. Donnez des conseils aux parents oralement, puis par écrit. Complétez les énoncés de la colonne de gauche en choisissant les réponses appropriées ci-dessous, comme dans l'exemple.

Exemple : **Il vaut mieux que vous évitiez de faire des commentaires sur ses vêtements, sur ses préférences musicales, etc.**

1. Il dit constamment qu'on le compare à son frère.
2. Il a des poussées d'acné.
3. Elle fait de l'insomnie.
4. Il se plaint tout le temps. Il se croit le centre du monde. Il se donne trop d'importance. Il boude, il nous ignore pendant des jours.
5. Il discute pour tout. Il veut toujours avoir raison.
6. Il passe tout son temps au téléphone.
7. Il veut sortir tard la nuit.
8. **Il s'habille mal, porte des vêtements excentriques.**
9. Il refuse de ranger sa chambre.
10. Son poids m'inquiète.

Il ne faut pas que vous
Il serait bien que vous
Vous pouvez demander qu'elle
Il est essentiel que vous
Il serait souhaitable que vous
Vous pouvez demander qu'il
Vous devriez exiger qu'il
Il vaut mieux que vous
C'est important que vous
Il faut qu'il

Conseils à l'intention des parents

A. limite ses appels. Tout le monde devrait avoir le droit d'utiliser le téléphone.
B. arrête de regarder la télé tard la nuit.
C. **évitiez de faire des commentaires sur ses vêtements, ses préférences musicales, etc.**
D. considériez l'adolescent comme une personne capable d'avoir un point de vue.
E. compreniez que la crise est passagère.
F. compariez l'adolescent à son frère ou à sa sœur.
G. change ses habitudes alimentaires.
H. vous donne des informations sur la soirée. Qui va être présent et quelles activités sont prévues.
I. consultiez un dermatologue.
J. insistiez, la propreté est essentielle.

Vos réponses...

1. _____

2. _____

3. _____

4. _____

5. _____

6. _____

7. _____

8. _____

9. _____

3

Objectifs grammaticaux

Les verbes réguliers au subjonctif

Les expressions d'introduction

Objectif de communication

Exprimer une exigence.

Aux arbres, citoyens !

A. Les énoncés suivants correspondent aux slogans des pancartes des manifestants. Complétez-les en utilisant un verbe au subjonctif.

3 Plantons des arbres, plantons l'espoir.
5 La forêt nous appartient. À quand les consultations publiques ?
2 Nous avons le droit de connaître la vérité.
4 Arrêtez immédiatement les coupes sauvages.
6 PROTÉGEONS LA FORÊT.
8 Compagnies forestières, groupes financiers : HORS DE LA FORÊT !
7 Pour une gestion collective de la forêt
1 AUX ARBRES, CITOYENS ! SAUVONS LES ARBRES !
90 % de la forêt boréale du Québec a été cédée aux compagnies forestières. Seulement 2,9 % de cette superficie est protégée. À ce rythme-là, la forêt ne sera bientôt qu'un souvenir. Participez à la marche pour la défense de la forêt, ce samedi, 17 avril.
Nous partirons du métro Mont-Royal et nous nous dirigerons vers le mont Royal.

Énoncés à compléter

1. Il faut que nous _____

_____

2. Il faut que nous _____

_____

3. Il faut que vous _____

_____

4. Il faut que les compagnies forestières _____

_____

5. Il faut que le gouvernement _____

_____

6. Il faut que nous _____

_____

7. Il faut que les compagnies forestières et les communautés locales _____

_____

_____

8. Il faut que les compagnies forestières _____

_____

B. Remplissez les blancs avec les verbes entre parenthèses au subjonctif présent.

Le groupe militant pour la défense de la forêt boréale demande…

1.   … que le gouvernement (reprendre) _____ les concessions
     données aux compagnies forestières.

2.   … que le gouvernement (interdire) _____ les coupes
     dans les parcs nationaux.

3.   … que les compagnies (informer) _____
     et (consulter) _____ le public avant de prendre des décisions
     concernant le bien commun.

4.   … que le gouvernement (encadrer) _____ les pratiques forestières
     et (appliquer) _____ une politique de développement durable.

5.   … que le gouvernement (respecter) _____ la totalité
     de la forêt et pas seulement 2,9 %.

C. Donnez votre opinion. Utilisez le subjonctif présent.

Coupes illégales dans un parc national. Les réactions de nos lecteurs.

1. Je trouve inacceptable que les compagnies forestières

   (détruire) _____ les parcs nationaux.

2. Il faut que le gouvernement (interdire) _____ ces pratiques.

3. C'est aberrant, tout simplement aberrant que le public

   (ne pas connaître) _____ la situation.

4. Il faut que nous (protéger) _____ notre bien commun.

5. Il est inacceptable que le gouvernement (permettre) _____

   aux compagnies forestières de couper les arbres d'un parc national.

D. Dans la chanson suivante, l'auteur Luc Plamondon déplore la dégradation de l'environnement. Lisez le texte de la chanson, puis mettez les verbes à l'impératif au subjonctif présent, comme dans l'exemple. Remplacez le verbe « tuer » par des synonymes tels que « détruire », « attaquer », « faire disparaître », « ignorer », ou des antonymes tels que « protéger », « préserver », etc.

Hymne à la beauté du monde

Ne tuons pas la beauté du monde

Ne tuons pas la beauté du monde

Ne tuons pas la beauté du monde
Chaque fleur, chaque arbre que l'on tue
Revient nous tuer à son tour

Ne tuons pas la beauté du monde
Ne tuons pas le chant des oiseaux
Ne tuons pas le bleu du jour
Ne tuons pas le bleu du jour

Ne tuons pas la beauté du monde
Ne tuons pas la beauté du monde

Ne tuons pas la beauté du monde
La dernière chance de la terre
C'est maintenant qu'elle se joue

Ne tuons pas la beauté du monde
Faisons de la terre un grand jardin
Pour ceux qui viendront après nous
Après nous

Ne tuons pas la beauté du monde
La dernière chance de la terre
C'est maintenant qu'elle se joue

Ne tuons pas la beauté du monde
Faisons de la terre un grand jardin
Pour ceux qui viendront après nous
Après nous

Paroles : Luc Plamondon
Musique : Christian Saint-Roch
Interprétée par Isabelle Boulay (1998)

Exemple : Il ne faut pas que nous détruisions la beauté du monde.
Il faut que nous préservions la beauté du monde.

Il ne faut pas que

Il n'est pas bon que nous

Il n'est pas possible que

Il faut que nous
Il est essentiel que nous

Le subjonctif présent

Objectifs grammaticaux
Les verbes réguliers au subjonctif
Les expressions d'introduction

Objectif de communication
Exprimer un souhait, un besoin.

À quand le ménage ?

A. Regardez la BD de Line Arsenault. Que doit faire le personnage ? Utilisez l'expression *Il faut que* + subjonctif, comme dans l'exemple. Faites l'élision si nécessaire.

Exemple : **Il faut qu'il paye ses factures.**

© *La vie qu'on mène 2*, Line Arsenault, Éditions Mille-Îles, 1986.

B. Remplissez les blancs en conjuguant les verbes entre parenthèses au subjonctif présent.

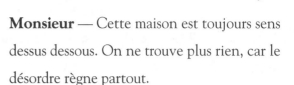

Monsieur — Cette maison est toujours sens dessus dessous. On ne trouve plus rien, car le désordre règne partout.

Madame — Il faut qu'on (s'organiser) _____, c'est tout. Ce n'est pas dramatique.

Monsieur — Moi, je trouve ça décourageant. Il faudrait que l'on (engager) _____ un service d'aide ménagère.

Madame — Mais non, il faut d'abord qu'on (tenir) _____ un conseil de famille afin que chacun (mettre) _____ de l'ordre dans ses affaires et (prendre) _____ une responsabilité dans la maison.

Monsieur — C'est plus facile à dire qu'à faire. Mais le résultat est toujours le même. C'est moi qui fais la vaisselle de tout le monde. Pourquoi diable faut-il que j'(assumer) _____ les tâches de tout le monde ?

Madame — Tu as raison. Il faut qu'on en (parler) _____ aux enfants. Ils sont assez grands pour comprendre.

C. Regardez l'image ci-dessous : un père s'adresse à son enfant. Que lui demande-t-il de faire ? Utilisez le subjonctif, comme dans l'exemple.

Exemple : **Il faut que tu ranges le bureau.**

arrêter de manger dans la chambre
balayer sous le lit
changer les draps
débarrasser la commode
jeter les vieux jouets
passer l'aspirateur
ranger le bureau
vider la poubelle

Tableau d'entraînement

Tableau **1**

Complétez le tableau, comme dans l'exemple.

Exemple :	*Ils regardent le téléjournal.*	*Il faut que vous regardiez le téléjournal.*
1.	Ils arrivent à l'heure.	Il faut que nous
2.	Ils se promènent tous les matins.	Il faut que tu
3.	Ils prennent des vitamines.	Il faut que vous
4.	Ils ajoutent un peu de miel.	Il faut qu'elle
5.	Ils attendent 3 heures.	Il faut que j'
6.	Ils finissent de bonne heure.	Il faut que nous
7.	Ils viennent dimanche.	Il faut qu'ils
8.	Ils répondent aux courriels.	Il faut que vous
9.	Ils assistent au spectacle.	Il faut qu'elles
10.	Ils lisent des chroniques intéressantes.	Il faut qu'on
11.	Ils participent à un forum.	Il faut que vous
12.	Ils réparent l'ordinateur.	Il faut que je
13.	Ils écrivent à nos amis.	Il faut que tu
14.	Ils préparent une expédition dans la forêt.	Il faut qu'on
15.	Ils s'organisent.	Il faut qu'on
16.	Ils rendent visite à beaucoup de gens.	Il faut que nous
17.	Ils reçoivent plusieurs demandes par mois.	Il faut que je
18.	Ils écoutent de la musique sur leur iPod.	Il faut que j'
19.	Ils achètent leurs légumes au marché.	Il faut que tu
20.	Ils se reposent.	Il faut qu'elle

Le subjonctif présent
Les verbes réguliers au subjonctif présent
La 2e personne du singulier et du pluriel

Tableau d'entraînement

Tableau **2**

Complétez le tableau, comme dans l'exemple.

Exemple :	Je dois *présenter* une carte valide.	Oui, c'est nécessaire que vous *présentiez* une carte valide.
1.	Je dois **arriver** deux heures à l'avance ?	Oui, c'est important que tu
2.	Je dois **signer** ce formulaire ?	Oui, c'est essentiel que vous
3.	Je dois **me préparer** pour cet examen ?	Oui, c'est mieux que tu
4.	Je dois **commander** par Internet ?	Oui, c'est nécessaire que vous
5.	Je dois **me présenter** à jeun ?	Oui, c'est important que vous
6.	Je dois **appeler** pendant l'heure du dîner ?	Oui, c'est indispensable que vous
7.	Je dois **envoyer** une invitation à toutes les personnes de la liste ?	Oui, c'est nécessaire que vous
8.	Je dois **me procurer** un formulaire en ligne ?	Oui, c'est mieux que tu
9.	Je dois **ranger** ma chambre ?	Oui, il faut que tu

10.	Je dois **acheter** une carte de transport ?	Oui, c'est mieux que vous
11.	Je dois **rester** à la maison ?	Oui, il faut que tu
12.	Je dois **me reposer** après l'opération ?	Oui, il est nécessaire que vous
13.	Je dois **parler** français ?	Oui, c'est important que tu
14.	Je dois **aider** maman ?	Oui, il faut que tu
15.	Je dois **terminer** avant ce soir ?	Oui, il faut que vous
16.	Je dois **imaginer** une autre fin à cette histoire ?	Oui, c'est mieux que vous
17.	Je dois **me déshabiller** ?	Oui, il faut que vous
18.	Je dois **planter** un arbre ?	Oui, c'est important que tu
19.	Je dois **me lever** de bonne heure ?	Oui, il faut que tu
20.	Je dois **montrer** ma carte ?	Oui, c'est essentiel que vous

Le subjonctif présent

Réimprimé en décembre 2016
sur les presses de Marquis-Gagné
Louiseville, Québec